»Die Ausländer« – geredet wird viel über sie. In den Schulen und in den Betrieben, im Parlament und vor allem am Stammtisch. An die Problematik haben wir uns inzwischen gewöhnt, auf die Auseinandersetzung mit ihr sind wir sogar ein bißchen stolz, weil wir uns damit beweisen, daß wir zu Einsichten fähig und bei aller Kritik doch recht »menschlich« sind. Hand in Hand damit geht die Überzeugung, daß wir die Dinge selbst am besten beurteilen können. In diesem Band sind Prosastücke und Gedichte von Ausländern zusammengestellt, die sich in deutscher Sprache mit ihrem Gastland Bundesrepublik auseinandersetzen. So unterschiedlich wie die literarischen Formen sind die subjektiven Erfahrungen, Impressionen und Reflexionen, die darin zum Ausdruck kommen. Eine irritierende, bestürzende, aber auch unterhaltsame und anregende Lektüre und eine gute Gelegenheit, einmal den »Anderen« zu Wort kommen zu lassen!

Als Fremder in Deutschland
Berichte, Erzählungen, Gedichte
von Ausländern

Herausgegeben von Irmgard Ackermann
Eingeleitet von Harald Weinrich
Mit einem Nachwort von Dietrich Krusche

Deutscher
Taschenbuch
Verlag

Originalausgabe
April 1982
Deutscher Taschenbuch Verlag GmbH & Co. KG,
München
Alle Rechte vorbehalten
Umschlaggestaltung: Celestino Piatti
Gesamtherstellung: C. H. Beck'sche Buchdruckerei,
Nördlingen
Printed in Germany · ISBN 3-423-01770-8

Inhalt

Typisch deutsch?

Alltag – heiter bis wolkig

Gast oder Arbeiter?

Von Zeit zu Zeit, wenn gerade kein anderer Schuh sie drückt, geben deutsche Schriftsteller und Kritiker dem Zweifel Raum, ob es heute eigentlich immer noch die *eine* deutsche Literatur gibt, zu der Wiens Jandl und Zürichs Frisch ebenso selbstverständlich gehören wie der Kölner Böll und die (Ost-)Berlinerin Christa Wolf. Oder müssen wir anerkennen, daß es bereits ebensoviele deutsche Literaturen gibt, wie man deutsche Staaten und Staaten deutscher Zunge aufzählen kann? Bei genauerer Betrachtung zeigt sich dann aber bald, daß es offenbar leichter ist, einen neuen Staat als eine neue Literatur zu gründen, und so muß manches stramme Staatsbewußtsein wohl noch lange warten, ehe es literarisch beglaubigt wird.

Über diese Fragen und Zweifel haben wir oft vergessen, über die Grenzen der deutschen Länder wie auch über die gesellschaftlichen Gruppengrenzen in ihrem Innern hinwegzuschauen und zu bemerken: Es gibt eine deutsche Literatur oder doch wenigstens einen starken literarischen Ausdruckswillen in deutscher Sprache auch bei vielen Angehörigen anderer Nationen, die Deutsch als eine Fremdsprache gelernt haben und sich unserer Sprache nicht nur dann bedienen wollen, wenn sie auf der Straße nach dem Weg zum Bahnhof zu fragen haben. Wir können diese Literatur, die – weil nicht gepflegt – erst in Ansätzen existiert, eine deutsche Gastliteratur nennen und bei diesem Wort zugleich daran denken, daß die Engländer seit langem selbstverständlich mit einer höchst bemerkenswerten Commonwealth-Literatur leben und daß auch die Franzosen natürlich zu schätzen wissen, welchen Reichtum sie in ihrer Literatur nicht nur dem Iren Beckett und dem Spanier Arrabal, sondern auch frankophonen Afrikanern wie Léopold Sédar Senghor oder Sembène Ousmane verdanken.

Wir Deutschen hingegen scheinen vergessen zu haben, daß Adalbert von Chamisso ein deutscher Schriftsteller geworden ist, obwohl er die deutsche Sprache als Fremdsprache lernen mußte. Und spät erst haben wir Elias Canetti als großen deutschen Schriftsteller entdeckt, der von sich gesagt hat: »Ich bin nur ein Gast in der deutschen Sprache.« *Nur* ein Gast, sagt er an dieser Stelle, aber an anderer Stelle hat er von dieser »spät und unter wahrhaftigen Schmerzen eingepflanzten Muttersprache«

bemerkt, sie sei gerade deshalb die Sprache seiner literarischen Prosa geworden, weil sie für ihn immer von einer Aura der Fremdheit umgeben geblieben ist, so daß in ihr »die Worte mit einer besonderen Art von Leidenschaft geladen sind«. Als dritten Zeugen will ich den Israeli Elazar Benyoëtz aufrufen, der zur jüngeren Generation unserer Zeitgenossen gehört und ein Meister des Aphorismus in der deutschen Sprache ist. Auch für ihn ist die deutsche Sprache eine Fremdsprache. Aber, so lautet einer seiner Aphorismen: »Ein freier Geist bedient sich der Sprache nicht, die er beherrscht.«

Wir wollen jedoch, wenn wir an die Literatur und an eine deutsche Gastliteratur denken, nicht nur die »Höhenkamm-Literatur« (wie die russischen Formalisten zu sagen pflegten) vor Augen haben. Die Literatur beginnt, wo ein elementarer Formtrieb sich des Schreibens bemächtigt und den pragmatischen Antrieben die Alleingültigkeit bestreitet. Es gibt Anzeichen dafür, daß dies durch die Bedingungen der Distanz und Fremdheit, denen Ausländer beim Gebrauch der deutschen Sprache als einer Fremdsprache unterworfen sind, nicht unbedingt verhindert, sondern eher befördert wird.

Um das nun genauer herauszufinden, hat das Institut für Deutsch als Fremdsprache der Universität München im Jahre 1979 einen literarischen Wettbewerb unter dem Thema »Deutschland – fremdes Land« und im Jahre 1980 einen weiteren Wettbewerb unter dem Thema »Als Fremder in Deutschland« ausgeschrieben. Beide Ausschreibungen wandten sich ausschließlich an Personen, denen die deutsche Sprache eine Fremdsprache ist oder gewesen ist. Die Reichweite dieser Ausschreibungen, die hauptsächlich durch Plakate sowie durch verstreute Zeitungs- und Rundfunknotizen bekanntgemacht wurden, war begrenzt, so daß sicher nur ein Bruchteil der deutschsprechenden Ausländer innerhalb und außerhalb des deutschen Sprachraums angesprochen wurde. Die insgesamt ca. 220 Einsendungen können daher keinen repräsentativen Wert für die Existenz und den poetischen Rang einer Gastliteratur in deutscher Sprache beanspruchen. Immerhin können die nachfolgenden Proben, die von der Jury des Preisausschreibens (Irmgard Ackermann, Dietrich Krusche, Michael Krüger, Hans Schwab-Felisch, Harald Weinrich) für diesen Band ausgesucht wurden, vielleicht einen ersten Eindruck von der Art und Weise geben, wie die Autoren und Autorinnen Deutschland als ein fremdes Land und sich selber als Fremde unter Deutschen erfahren und

in welchen literarischen Formen sie diese Verfremdung ausge-
drückt haben. Gleichzeitig sind die hier zusammengestellten
Texte eine bemerkenswerte Dokumentensammlung zu unserem
eigenen Selbstverständnis und für alle landeskundlichen Studien
zu dem, was von außen gesehen immer noch Deutschland heißt.

Harald Weinrich

Dein Brot schmeckt dir fremd

JEAN APATRIDE
Johann Ohneland

Eure freiheit betäubt mich
wie nach langen Regenfällen
entstandene Ozonschicht.
Ich atme sie ein
durch alle meine Poren,
mein Geist trinkt sie
wie Augen das Licht.
Eure Freiheit brauche ich,
sie verdeckt die Spaltung
zwischen mir und mir:
Fremdling überall,
in fremder Zunge
reiche ich das Opfer
fremden Göttern dar.

Das Haus

Für Samuel Beckett

Wir dachten, wir seien eingeladen
worden. Wir dachten, wir seien
Gäste. Es dauerte lange, bis wir
verstanden, daß wir hier zwar
Gäste sind, daß es aber keinen
Gastgeber gibt, der für uns sorgen
könnte.

SARA B. VANÉGAS
Dein Brot schmeckt dir fremd

fremd – ein wort
ein wort wie brot
                licht
                kurz
                schnell

doch unüberhörbar
(dein brot schmeckt dir fremd!)

du versuchst es zu vergessen
das kurze wort

du feierst dein glück
deine fortschritte in der deutschen sprache
deine aussichten
deine . . .

        plötzlich
mußt du es aber sehen:
die weißen dächer im dezember
des herbstes farblose winde
jene zärtliche blume

der himmel
ja . . . der hohe endlose himmel

alles ist
        fremd
                geworden

für deinen fremden blick

Du kamst

du kamst
an einem tag
(an einem langen tag)

in diese stadt

überall grün
      naß
      fern

du sahst dich um
neugierig
und ahntest kaum
den morgen

du spieltest unbesorgt mit den vokabeln
sammeltest augenblicke
und vergaßest

du kamst
an einem langen tag

doch du warst nicht da
eigentlich
nie

José-Ramón García
Fremd im eigenen Haus

Ich lernte ihn, Tomas, im Zug kennen. Für mich, der zum ersten Mal nach Deutschland fuhr, war die Reise, wie alles Neue und Unbekannte, eine Mischung aus Neugier und Angst. Da links blühten Blumen, die ich nie zuvor gesehen hatte, und die Landschaft, Du, ist ja ganz anders, als sie meiner Vorstellung nach hätte sein müssen, und guck mal die Leute da, wie die aussehen, ist es ja nicht komisch? Und die Sprache, Du, das ist ja ein lautes Knarren, und ist es wahr, daß alle Deutschen wie kleine Hitler aussehen? Und haben die alle ein Kreuz an der Stirn? Aber ich rede ja Unsinn.

Nichts davon bei Tomas. Auf dem Sitz im Abteil sitzend, schien es, als wäre ihm alles gleichgültig, als hätte meine Rede gar keinen Sinn für ihn.

Ich schwieg. Wir hatten unter uns eine lange Reise. Ich glaube, etwas geschlafen zu haben. Hat er auch geschlafen? Ich wagte es nicht, ihn zu fragen.

Er saß mir gegenüber. Unsere Füße lagen dicht nebeneinander auf demselben Boden desselben Zuges. Und doch schien es, als wären wir Einwohner von weit entfernten Welten. Er blickte ins Leere, und nur ab und zu sah er mir ins Gesicht, als wollte er mir sagen, ich werde es von selbst lernen, Hoffnungen aufzugeben. Denn nichts sei von den Menschen zu erhoffen, das weiß er schon seit langer Zeit.

Ich erkläre ihm, ich hoffe, weißt Du? Auf die Menschenfreundlichkeit der Deutschen. Ein Volk, zu dem so viele Dichter und Denker, Philosophen und sonstige große Männer und Frauen gehören, ein Volk, das aus dem von tragikomischen Irren verursachten Chaos immer wieder sich neu aufgebaut hat ... ein solches Volk muß ja etwas von Zusammenarbeit, von Solidarität verstehen

Ich, Tomas Carrero López, wurde als Nichtsbesitzender geboren, da, in einem kleinen Dorf in dem Land, das ich einst Heimat nannte. Vom Nichtsbesitzenden entwickelte ich mich zum Nichtsseienden. Da ich etwas haben mußte, damit ich etwas sein durfte, heiratete ich eine junge Frau, die auch nichts hatte, und dann machten wir ein Kind, das wir »unser« nannten. Dieses wurde viermal wiederholt. Die Kinder aber mußte man ernähren. Ich fing an, am Hafen zu arbeiten. Außerdem arbeitete ich auch längst auf dem Gelände des Herrn Herzogs unseres Dorfes, wo mein Vater und der Vater meines Vaters gearbeitet hatten. Ich hatte übrigens als Zehnjähriger angefangen. Es war ein Leben zum Tode, aber man konnte die Kinder großziehen.

Eines Tages sahen wir, wie riesengroße Maschinen ins Gelände des Herzogs hineingefahren wurden. »Allein eine dieser Maschinen kann die Arbeit von zwanzig Arbeitern leisten«, erklärte stolz der Herzog.

In der nächsten Woche bekam ich einen Entlassungsbrief.

Andererseits wurde es immer schwieriger, am Hafen Arbeit zu kriegen. Man mußte um drei Uhr morgens aufstehen und gegen die Menge boxen, damit man eine Chance hatte. Und so ging es jeden Tag. Man hatte Glück, wenn man arbeiten durfte. Man konnte dann nur darauf hoffen, daß es an diesem Tag viele Schiffe zu entladen geben würde.

Aber eines Tages kam ein sehr gut gekleideter Herr und sagte, nur für diejenigen, die eine besondere Erlaubnis hatten, würde es künftig Arbeit geben.

Ich bat den Herrn Herzog: er könnte nichts dagegen machen. Ich bat den Herrn Pfarrer: er würde für mich beten. Ich bat meine Freunde: Vergeblich.

Ich mußte weg, ins Land der hohen Technik, ins Land des wirtschaftlichen Wunders. Da brauche man Arbeitskraft, da könne man sich eine Zukunft aufbauen.

Ich würde ein paar Jahre arbeiten, viel Geld verdienen, sparen und dann wieder nach Hause zurückkehren.

Sparen hieß also die Losung. Ich mietete ein kleines Zimmer, aß nur das Notwendigste und arbeitete. Meine größte Überraschung war, daß ich bei der Arbeitsstelle keine Deutschen traf. Es waren Türken, Italiener und Spanier, die ich als Mitarbeiter hatte.

Abgesehen von Wahlkämpfen, bei denen ich erstaunlicherweise eine Menge Drucksachen, Briefe, Stimmkarten und ähnliches empfing, kümmerte sich keiner um mich.

Da ich als Hauptziel das Sparen angesetzt hatte und ich dachte, es würde nur ein paar Jahre andauern, erlernte ich die deutsche Sprache nicht. Ich hielt es einfach nicht für nötig.

Ich schickte einen Teil des verdienten Geldes nach Hause, wo der Bedarf an Geld immer noch größer wurde. Auch um Geld zu sparen, fuhr ich nur einmal im Jahr nach Hause, an Weihnachten.

Ich häufte eine gewisse Menge Geld an. Doch nicht genug, um in der Heimat ohne zu arbeiten leben zu können.

So wurden aus ein paar Jahren vier, sechs, zwölf Jahre in Deutschland.

Die Mitarbeiter im Betrieb sind meine einzigen Bekannten in Deutschland. Mit einigen von ihnen kann ich mich sogar in meiner eigenen Sprache verständigen. Meine Beziehungen zu ihnen habe ich aber absichtlich auf rein innerbetriebliche Unterhaltungen beschränkt, um die Gelegenheit, Geld ausgeben zu müssen, zu vermeiden.

An diesem Punkt brach Tomas zusammen. Ich hatte die ganze Zeit zugehört. Ich schwieg. Was konnte ich denn sonst tun, was sagen?

Nach einer Weile konnte er doch weitererzählen.

Ich erkenne meine Frau nicht mehr. Ich erkenne meine Kinder überhaupt nicht. »Ah, das ist der Herr, der uns Geld schickt«, habe ich meinen jüngsten Sohn sagen hören.

Diese mag meine letzte Reise gewesen sein. Ich bin fremd in meinem eigenen Haus geworden, ohne dafür ein neues Zuhause gefunden zu haben. Es bleibt mir nichts anderes übrig, als möglichst viel zu arbeiten. Nur beim Arbeiten kann ich vergessen. Nur beim Vergessen leben.

Wir waren angekommen. Die Reise war zu Ende. Ich nahm die Gitarre, den Koffer mit den Büchern und zog den Mantel an. Es war mir kalt.

Wir verabschiedeten uns. Auf Wiedersehen! Ich dachte, wir würden uns wahrscheinlich nie wieder sehen. Ich gab ihm trotzdem meine Adresse und schrieb seine auf.

Zwei Wochen später kam er doch zu mir. Er sah schrecklich aus. Er war entlassen worden. Wegen einer Prügelei während der Arbeitspause. Eine Kleinigkeit.

Ich fürchtete, er würde anfangen zu schreien, zu schlagen . . . Er wurde aber ruhiger. Mit leiser Stimme, mir auf die Schulter klopfend und lächelnd, sagte er: »Mach Dir keine Sorge!« Und ging weg.

Ich habe mein Zimmer voll von allerlei Büchern. Ich schaue mich um und überlege, ob in irgendeinem dieser Bücher ein einziges Wort zu finden sei, das Tomas trösten könnte; eine Begründung, die erklären könnte, weshalb Armut, Fleiß und Familienliebe so böse Sünden sind, daß sie nur durch die Strafe der allgemeinen Heimatlosigkeit wiedergutgemacht werden können.

Ich gebe auf. Die große Weisheit mag irgendwo im Himmel liegen. Auf der Erde ist sie wenigstens nicht zu spüren.

Ein seltsames Gefühl bringt mich zum Zittern. Ich erkenne die Dinge um mich nicht mehr. Ich gehöre nicht mehr zu ihnen. Ich fühle mich fremd. Fremd unter den Philosophen, die nichts zu sagen haben. Fremd unter den Menschen, die ihre Freiheit zu verstecken versuchen.

Ich gehe aus dem Zimmer. Es hat geschneit. Die Leute scheinen nichts bemerkt zu haben. Es ist überall weiß und kalt.

Ich weiß, daß Du nicht schläfst. Ich höre Dich in Deinem Zimmer auf und ab gehen. Du bist verzweifelt, verzweifelt und müde. Dennoch findest Du keinen Schlaf.

Du bist nicht mehr derselbe. Ich erinnere mich noch an Dein übermütiges Lachen, als wir aus dem Zuge stiegen. Du warst gespannt auf Deutschland. Deine Begeisterung war uns, die wir uns fürchteten, willkommen. Wir hatten Angst, Angst vor der Sprache und Angst vor den Menschen. Du hast nur über uns gelacht.

Die Anforderungen, die der Sprachkurs stellte, waren nicht hoch. Und doch hast Du Tag und Nacht gearbeitet. Du meintest, daß es endlich an der Zeit sei, den ›Taugenichts‹ auf Deutsch zu lesen. Als ich Dich kennenlernte, lag das Buch schon auf Deinem Nachttisch. Auch Dich zog es hinaus in die Fremde, fort von Deines Vaters Mühle.

Deine Bücher waren es, die Dich betrogen haben. Sogar Eichendorff hat Dich zum Narren gehalten. Daß Deutschland in Dir einen Fremden sehen würde, daran hattest Du nicht gedacht. Die Menschen haben sich von Dir abgewendet. Auch Dein Lachen haben sie überhört. Vom Leben wollen sie nichts mehr wissen, sie haben aufgehört, nach Schönheit zu streben. Dir war, als ob Du mit jedem Tag dahinstürbest.

Du fuhrst zurück in die Heimat, und trotzdem war uns beiden nicht wohl dabei. Wir hatten uns nicht geirrt. Zwei Wochen später standest Du an der Tür. Du hattest beschämt den Blick gesenkt. Als ich Dich bat, mich anzusehen, sagtest Du nur:

»Lieber Fremder in der Fremde als Fremder im eigenen Land.«

KIM LAN THAI
Begegnung

Die erste Nacht
im fremden Land
vor fremder Wand
im fremden Bett
Schlaflosigkeit
bemalt
weiß
die Nacht
in frühen Morgenstunden
kommt plötzlich
der Regen
kommt da
irgend jemand
aus der Heimat?

Zum deutschen Freund

doucement, doucement!
mein Lieber
sprich bitte
in der Sprache der Liebe
nicht zu laut
nimm bitte
nicht allzuviel
vom deutschen
Wortschatz
absolute Begriffe
denn
noch bin ich
ein Kind
in Deiner Sprache
und nehme Dich
so gerne
beim Worte

BERNADETTE MARTIAL
Vorstellung

Zauber
Täuschung

oder
Wunsch.
Kein Blick mehr für das schon Vorhandene.
Nur die erwünschte Durchsichtigkeit.

Dieses Land:
erdichtet.

Pendelfahrt zwischen den Welten

JEAN APATRIDE
Ein- und ausschlüpfen

Ein- und ausschlüpfen
in Sprachen, aus Sprachen.
Pendelfahrt zwischen den
Welten.

SULEMAN TAUFIQ
die frage

vor neun jahren kam ich in diese stadt, in diese neue welt
ich kam allein, ohne begleitung
in meinem kopf nur paar fragen
aber eine besondere frage verfolgte mich
und verfolgt mich immer noch
begleitet mich bei allen sachen, die ich tue
schläft mit mir, ißt mit mir, trinkt mit mir
nur eine frage und nicht mehr verfolgt mich:
wer bist du?
wer bist du hier in dieser stadt, in diesem land,
in dieser neuen Welt?

vor neun jahren drang in meinen körper der duft der erde ein
hinter mir stehen jahre meiner kindheit
voller sonne, träume, kinderschrei und mutteraugen
hinter mir stehen geschichten, lieder, musik und tanz
hinter mir eine welt, die anders ist als diese welt

als ich vor neun jahren in diese neue welt eintrat, stieß mein
gesicht auf wälder von eisen und beton
wurden meine ohren von schreien, bellen und lärm gestopft
sahen meine augen eisenkisten, die sich bewegten
gesichter, die nicht lachen konnten und gelbe blätter, geklebt
auf die wände dieser stadt
ich fand berge von beschriebenen blättern, wo ich früher meine
schulbücher mit anderen schülern teilen mußte
dann fing ich an, alle diese blätter lesen zu lernen
ich ging in die cafes, kneipen, bars und tanzlokale
wie alle menschen hier, um leute kennenzulernen, mit denen
ich reden und diskutieren konnte (sie nennen es kommunikation)

ich bekam eine kontonummer auf der bank
ich bekam freunde und freundinnen und alles mögliche
ich mußte meinen namen überall eintragen
ich mußte oft was unterschreiben
ich bekam eine neue welt, die das land und die dörfer
nicht kannte, sondern haßte alle diese dörfer und ihre bewohner

aber, trotz alledem, verfolgt mich diese frage immer
noch – komisch –
diese frage stößt auf mich jeden abend vor dem schlaf
jeden morgen, wenn ich wach werde, und meine
neue welt sehe
die schatten meiner kinderjahre
die schatten meiner alten stadt
die schatten meiner mutter
und die idyllen meiner alten welt
tanzen immer noch in meiner erinnerung
und die frage sticht mich im innern wie eine stecknadel

ich trage die qualen dieser frage jeden tag
bis zum wochenende
bis zum monatsende
bis zum jahresende
und wenn ich mich frage, wie lange noch?
ich weiß es nicht!!!
ich sehe diese frage auf meinem bett, im bus, in der bahn
auf der straße, in den gesichtern der leute, die ich
getroffen habe und noch treffe, in meinem zorn, meiner liebe, in

glücklichen momenten   den

die krankheiten dieser neuen welt haben mich erreicht
in meinen augen steht eine lila farbe, die mich hindert
klar zu sehen
auf meinen ohren wachsen schichten von fett, die mich
hindern zu hören

Hatice Kartal/Hülya Özkan
Sehnsucht

Wir sind es, die morgens um vier Uhr aufstehn
Die Armut ist es, die uns hierher verschlug
Unser Herz schlägt unaufhörlich, ah Heimat
Heimat
Gott beschütze das Vaterland

Wir haben die Freiheit verloren, wir sind wie
Sklaven
Wir haben eine Zunge, doch können wir nicht
reden – wir sind wie Stumme
Wir sind in Deutschland Menschen dritter Klasse
Gott beschütze mein schönes Vaterland

Vergiß, daß wir dich verließen und hierher
kamen
Vergiß, daß wir dich nicht angemessen liebten
Vergiß, daß wir in unsrer Traurigkeit nicht
gelacht und lustig waren
Gott beschütze mein schönes Vaterland

Die Fremde hat uns zermürbt
Wir fanden keinen, der uns so liebt wie du
Du bist der Liebe wert. Können wir dich je
verletzen?
Unser Leben lang, schöne Türkei, vergessen
wir dich nicht.

Norbert Ndong
Im Land der Weißen

Ein Jahr lang haben sich ein Vater und sein Sohn, der in Deutschland studierte, bis zu dessen Rückkehr die folgenden Briefe geschrieben. Briefe an andere Adressaten, durch die eventuell eine Differenzierung erreicht worden wäre, wurden hier nicht miteinbezogen. Im Mittelpunkt des Interesses steht Deutschland. Zwischen den verschiedenen Briefen liegt eine relativ längere Zeitspanne, die ich sicherlich auf die langsame Abfertigung der Post zurückführen könnte. Ich wage nicht, andere Gründe zu vermuten.

Frankfurt, den 6. September 1977

Lieber Vater,
seit heute befinde ich mich im Lande der »Weißen«, genauer gesagt in Deutschland. Ich will nicht mehr auf die Vorbereitungen zurückkommen, auch nicht einmal auf den Abschied am Flughafen, wo mir klar wurde, daß Du doch nicht gern Deinen Sohn nach Europa hast gehen sehen. Deine Augen und die von Mutter waren ganz feucht. Auch ich bin den Tränen nahe gewesen. Aber was soll das? Bedenke, daß uns fast sechstausend Kilometer trennen. Doch habe ich noch die Szene am Flughafen vor den Augen. Sechstausend Kilometer, zwei völlig verschiedene Welten, und dies innerhalb weniger Stunden.
    Über den Verlauf der Reise ist nicht sehr viel zu sagen. Nach dem Abflug haben wir nach einer Zwischenlandung in Rom Frankfurt gegen acht Uhr erreicht. Um das Gepäck zu holen, mußten wir durch lange, unendliche Gänge gehen. Glücklicherweise kann ich mich schon in dieser Sprache verständlich machen, von der Mark Twain meinte, sie sei so schwer, daß nur die Toten genug Zeit hätten, sie zu erlernen. Ich stelle mir vor, wie ratlos hier in diesem riesigen Flughafen Ausländer herumirren können, bis sie die Gepäckausgabe gefunden haben.
    Nachdem wir endlich die Koffer gefunden hatten, mußten wir Zollformalitäten über uns ergehen lassen. Wir haben dafür sehr viel Zeit gebraucht. Da fiel mir plötzlich auf, daß überall

bewaffnete Polizisten mit Funkgeräten herumliefen. Ich kam mir wie in einem Gefängnis vor. Nachdem wir nach langer Wartezeit auch noch durchsucht worden waren, konnten wir endlich die Kontrolle passieren. Jemand wartete auf uns. Für uns war er aber kein Fremder. Wir kannten ihn von früher. Aus diesem Grund hat man ihn wahrscheinlich ausgesucht. Auf die Frage nach der Anwesenheit von so vielen Polizisten am Flughafen und der langen Zollkontrolle erklärte er uns, einen Tag zuvor hätten Terroristen den Arbeitgeberpräsidenten – den Patron aller Patrone – entführt und dabei alle seine Begleiter erschossen.

Wir haben den Flughafen verlassen und unsere Zimmer in einem Hotel nahe dem Hauptbahnhof bezogen. Ein Spaziergang durch dieses Stadtviertel hat mir schon einige Phänomene deutlich gemacht, die bei uns sonst nicht zu finden sind. Unser Volk hat sich selbst das Volk der Herren genannt. Wie Herren gehen wir, majestätisch, ohne Hast und gemessenen Schrittes. Hier aber rennen die Leute, als hätten sie Feuer hinter sich. Auf den Straßen sind wir sehr oft angesprochen worden. Ein Wächter stand vor einer Tür und wollte uns in das Haus einladen, wo angeblich nackte Frauen tanzten. Anderswo, in einem Souterrain, standen viele Frauen, jede hinter einer Säule. Das Haus wird Eros-Center genannt. Du weißt es nicht. Hier sind die gesellschaftlichen Zwänge so stark, daß es keine sexuelle Freizügigkeit in dem Sinne geben kann, wie wir es zu Hause verstehen. Eine Frau in einem Schaufenster wie eine Ware! Das habe ich in meinem Leben noch nie gesehen.

Du fragst Dich bestimmt, wie die Stadt aussieht. Unsere Hauptstadt ist ein Nest daneben. Die Hochhäuser und die vielen und schnell fahrenden Autos sind am auffälligsten. Ich habe Dir gesagt, jeder hat es sehr eilig. Über die strömende Menschenmenge kann ich Dir leider nicht viel sagen. Jeder ähnelt dem anderen; natürlich nicht physisch, außer der Tatsache, daß sie alle »weiß« sind, und es scheint eine große Anonymität zu herrschen. In wenigen Minuten verlassen wir die Stadt und fahren zu unserer neuen Universität. Von dort werde ich Dir dann weiterschreiben. Ich brauche noch nicht auf Deine Antwort zu warten.

Grüß die ganze Familie von mir.

Dein Sohn

Saarbrücken, den 10. September 1977

Vater,

seit ein paar Tagen sind wir an unserer neuen Universität. Es
sind noch Ferien hier; aber vor dem Beginn des Semesters müssen wir unsere Kenntnisse auffrischen, wenn nicht erweitern.
Wir gehen jeden Tag zur Schule. Schlimm ist es noch nicht.
Auch das Wetter ist erträglich. Uns wurde immer gesagt, es sei
sehr kalt in Deutschland. Ich habe dies noch nicht zu spüren
bekommen. Der Winter kommt aber bald. Ich wohne auf dem
Universitätsgelände, das ein paar Kilometer von der Stadt entfernt liegt. Es wird bestimmt schwierig sein, mir eine Meinung
über die Deutschen zu bilden, wenn ich die ganze Zeit an der
Universität verbringe. Das Semester beginnt Mitte Oktober.
Ich schreibe Dir erst danach.

Dein Sohn

Nkong, den 30. Oktober 1977

Mein Sohn,

Deine beiden Briefe sind mir zugekommen. Wir alle in der
Familie freuen uns arg darüber, daß Du im Land der »Weißen«
studieren kannst, um später Deiner Familie und Deinem Land
behilflich zu sein. Der Abschied fiel uns sehr schwer; aber das,
was Du zu tun hast, ist viel wichtiger. Wir haben Dich gesegnet.
Es wird alles gut gehen. Das Blatt fällt immer auf den Boden.
Genauso wie die Federn unserer Geier in unseren Wäldern ruhig liegen, wirst Du zu uns auch zurückkommen. Hier gibt es
nur Todesfälle. Ich will Dich nicht damit belasten. Mich interessiert viel mehr das Land, in dem Du lebst. In so kurzer Zeit
kann man sich noch kein richtiges Bild machen, und aufgrund
Deiner Lektüre und Deiner Kenntnisse kannst Du mir etwas
über die geographische, soziale und politische Lage des Landes
sagen. Schreibe nur vorläufig, wie die Leute dort leben. Eines
darfst Du auf keinen Fall vergessen. Bei unserem Abschied habe
ich Dir ausdrücklich gesagt: »Du darfst keine weiße Frau heiraten«.

Die ganze Familie grüßt und segnet Dich.

Dein Vater

Saarbrücken, den 1. November 1977

Vater,
hab herzlichen Dank für Deinen Brief. Heute ist Allerheiligen.
Es ist ein Feiertag in diesem Land, aber nicht überall. Die Bundesrepublik besteht aus elf Ländern, und nur in den Ländern
mit katholischer Bevölkerungsmehrheit wird heute nicht gearbeitet. Wer denkt schon bei uns, an diesem Tag zu arbeiten. Die
Missionare haben uns beigebracht, es sei eine Todsünde, an
diesem Tag zu arbeiten. Ich will Dich gar nicht in Deinem
Glauben erschüttern, aber hier wird doch gearbeitet. Ich frage
mich, ob die Sünde nur für eine ganz bestimmte Kategorie von
Leuten gilt.

Bevor ich Deinen Fragen nachgehe, möchte ich Dir von den
vergangenen Ereignissen erzählen. Das Semester hat angefangen. Wir haben ziemlich viel zu tun. Damit will ich aber meinen
Brief nicht füllen. Es ist zu früh, sich darüber zu äußern. Unser
Rundfunk hat sicherlich diese Nachricht vor ein paar Wochen
gesendet: Ein deutsches Flugzeug ist entführt worden, und eine
deutsche Spezialeinheit hat die Geiseln in Mogadischu befreit,
wie es zuvor den Israelis in Entebbe gelungen ist. Mit dieser
Entführung wollten die Terroristen die Entlassung vieler Gesinnungsfreunde erpressen. Nach der Befreiung sollen sich einige dieser Freunde im Gefängnis das Leben genommen haben.
Wie dies möglich sein konnte, bleibt noch die große Frage.
Kurz danach wurde die Leiche des entführten Arbeitgeberpräsidenten in Frankreich aufgefunden. Wir haben auch kurz nach
der Unabhängigkeit unsere »Terroristen« gehabt. Weil sie für
die totale Unabhängigkeit unseres Landes kämpften, wurden sie
als Terroristen abgestempelt. Die Lage ist hier ganz anders. Sie
kämpfen zwar auch um eine bessere Gesellschafts- und Staatsform, aber die jungen Leute hier, die sicherlich nicht aus armen
Familien kommen, wollen eine andere Gesellschaft, die sie nur
durch Gewalt und Terror glauben erkämpfen zu können. Diese
Mittel können keinen Erfolg bewirken. Natürlich lenken sie die
Aufmerksamkeit der Bevölkerung auf sich, aber ihr politisches
Wirken endet nur in Destruktivität und ist Ausdruck ihrer
Ohnmacht.

Ich kann Dir nicht das ganze Land beschreiben. Ich werde
nur einige augenfällige Unterschiede hervorheben.

In der heutigen BRD hat man versucht, die Macht zu dezentralisieren. Nur ein paar Ressorts liegen in der Hand der Bundesregierung. Du weißt, daß unser Land noch vor einundsechzig Jahren ein deutsches Schutzgebiet war. Als deutsche Bauingenieure eine Straße bei uns asphaltieren sollten, glaubten die alten Leute nostalgisch, die »Herren« würden zurückkommen, als wäre die Unabhängigkeit, auch wenn sie im Endeffekt nur formaler Natur ist, von keiner Bedeutung. Ich frage mich immer, warum die Deutschen immer noch einen so guten Ruf unter uns haben. Natürlich wurden sie mit den Franzosen verglichen, die sie abgelöst hatten. Aber in ihren Methoden sind sie genauso grausam, wenn nicht grausamer als die anderen gewesen. Wieviele niedergeschlagene Aufstände! Wieviele Morde aus persönlichen Interessen! Jemand sagte mir, die Deutschen hätten nur Gräber hinter sich gelassen. Ordnung wollten sie mit der Peitsche und dem Gewehr herstellen. Von dieser Zeit datiert auch die Vorstellung, daß deutsche Produkte stabil sind. Dieses positive Bild hängt meiner Meinung nach damit zusammen, daß es uns von den Alten überliefert wurde, die auf der Suche nach ihrer Identität bei der Niederlage im Ersten Weltkrieg stehen geblieben sind. Ihnen blieb nichts mehr, als nur noch diese Zeit zu verklären und zu glorifizieren. Ich sehe mich vor eine aufklärerische Aufgabe gestellt. Du weißt aber auch, daß es sehr schwierig ist, ein Vorurteil – selbst ein positives – abzuschaffen.

Zwei große Unterschiede will ich noch erwähnen. Ich sprach in meinem ersten Brief von den schnell fahrenden Autos. Ja, bessere Straßen kann man sich nicht wünschen. Was wäre nicht bei uns getan, wenn neue Straßen gebaut worden wären. Ich denke nur an die Versorgung der Städte mit Lebensmitteln oder überhaupt an die schnelle Beförderung der Reisenden. Wenn hier die Bahn laut der von ihr betriebenen Werbung umweltfreundlich ist, so stellen die langen Autoschlangen in Städten oder auf den Autobahnen schon zum Teil die Kehrseite einer schnellen Entwicklung dar. Stelle Dir vor: 50 Kilometer Autoschlange. Das ist zum Verrücktwerden. Im Gesundheitswesen und in den Unterrichtsmitteln und -methoden an den Schulen zeigen sich auch beachtliche Unterschiede. Zwar kann sich jeder in einem Krankenhaus behandeln lassen; aber es stellt sich auch heute die Frage, inwieweit man den Ärzten Vertrauen schenken kann und wieweit man alle diese Chemikalien schlukken muß. Die Gefahr einer unmittelbaren oder langfristigen Vergiftung ist evident. Obwohl viele jetzt der modernen Medizin den Rücken kehren zugunsten der Homöopathie, ist der medizinische Fortschritt doch eine beachtliche Leistung. Denke nur an die Filariasis oder an andere Tropenkrankheiten, die doch durch eine bessere Organisation mit möglichst wenig Korruption optimal bekämpft und beseitigt werden könnten.

Vater, ich will Deine müden Augen nicht weiter beanspruchen. Ich höre hier auf und hoffe, Dich bald wiederlesen zu dürfen.

Der ganzen Familie alles Gute.

Dein Sohn

Nkong, den 25. Dezember 1977

Mein lieber Sohn,
die Post wird immer langsamer. Erst vor ein paar Tagen ist mir Dein langer Brief zugekommen. Ich danke Dir für Deine ausführlichen Erklärungen. Ich bekomme allmählich einen Einblick, aus Deiner Sicht natürlich, in dieses Land. Ich weiß, daß ich Dir trauen kann und sehe auch Deine Bemühungen, nicht alles als nur schön darzustellen, wie hierzulande die Vorstellung über Europa herrscht. Wir haben Dich nicht dort hingeschickt, um das Land zu bewundern, sondern wir verlassen uns gern und ruhig auf Dein Urteilsvermögen. Ich habe Dir so viele Fragen gestellt. Ich muß gestehen, daß Du sie nicht alle auf einmal beantworten kannst. Meine Neugier wäre teilweise befriedigt, wenn Du mir jetzt erzähltest, wie das Studium gestaltet ist und wie dort Weihnachten gefeiert wird. Derartige Feste kannten unsere Väter früher nicht. Nun ist unser Leben ohne sie unvorstellbar.

Hier ist nicht sehr viel zu berichten. Die Leute sterben wie Fliegen. Jeder kann der nächste sein. Das bedeutet viel Arbeit für mich, wenn ich für jeden einen Sarg anfertigen muß. Auch der Hahn, den ich dafür bekomme, mag das nicht wett machen. Der ganzen Familie geht es einigermaßen gut.

Lebe wohl.

Dein Vater

Lieber Vater,
ja, Weihnachten ist gekommen, und die Feiertage habe ich in
einer deutschen Familie verbracht. Die Einladung bekam ich
drei Wochen vorher. Meine große Sorge war nämlich, wie ich
bei dieser Kälte die Zeit während der Ferien vertreiben würde. Ich
habe es jetzt erlebt, bin aber auch nicht bereit, es zu wiederholen.
Weihnachten ist ursprünglich ein heidnisches Fest, das in die
christliche Religion miteinbezogen wurde. Als ich das erfuhr,
dachte ich an unsere Riten und Kulte, die Missionare für teu-
flisch erklärten und die deshalb haben verschwinden müssen.
   Ich war in einer ziemlich religiösen Familie. Am Heiligen
Abend haben wir gegen sieben Uhr Texte aus der Bibel gelesen
– auch ich mußte einen Text lesen – und Lieder gesungen. Als
Begleitung spielte der Hausherr Klavier. Danach haben wir uns
in einen Raum begeben, der bis dahin von uns nicht betreten
werden durfte. Den Schatz, den sie so ernsthaft gehütet hatten,
durften wir uns nach dem Klavierspiel nun anschauen. Es war
ein Tannenbaum, mit Kerzen, Glocken, Fransen und Kugeln
geschmückt. Jeder hat der Hausherrin natürlich gratuliert. Mir
kam das ganz fremd vor. Die Bewunderung vor einem Baum
konnte ich nicht begreifen. Die Fülle von Geschenken konnte
ich noch weniger begreifen, die den Anwesenden gemacht wurden, mir auch. Diese Schenkerei kam mir wie eine Komödie
vor, wobei jeder genau wußte, was er bekam. Wo bleibt denn
der Reiz an der Sache? Schon einen Tag vor der Bescherung
mußten wir sogar vierhundert Kilometer zurücklegen, weil die
Geschenke verwechselt worden waren. Ich hatte mir nichts ge-
wünscht und bekam das, was mir gegeben wurde. Am Abend
sind wir noch zum Gottesdienst in die Kirche gegangen. Das
hätte man sich auch ersparen können, um zu Hause zu feiern.
Essen! Nur das haben wir am folgenden Tag gemacht, aber ich
habe mich wirklich nicht freuen können. Für mich ist Weihnachten ein Familienfest, und ein Ausländer – er mag auch in
der Familie integriert sein – bleibt ein Fremdkörper. Dieses
Gefühl befiel mich angesichts der Harmonie, die zwischen der
Mutter und den Kindern herrschte. Zum ersten Mal bekam ich
Heimweh. Um 24 Uhr saß ich schon im Zug. Ich hatte mich
nicht heimisch gefühlt.

Dein Sohn

Lieber Sohn,
vielen Dank für Deinen Brief und die Postkarten, die Du uns
von den verschiedenen Etappen Deiner Reise geschickt hast.
Wir haben uns darüber gefreut, den Kontrast zwischen dem
weißen Schnee und Deinem Gesicht zu beobachten. Deine
Mutter, ansonsten sehr still, bemerkte sofort, Du seist noch
schwärzer geworden.

Dein Brief hat uns aber große Sorgen bereitet. Deine Mutter
und ich können es immer noch nicht begreifen. Du, der Du
beinahe ein Geistlicher geworden wärest, Du wolltest auf den
Gottesdienst verzichten und lieber zu Hause feiern? Merke Dir,
mein Sohn, daß mit der Religion nicht zu spaßen ist. Denke an
Deine Seele nach dem Tod. Du bist unser ältester Sohn. Was für
ein Beispiel willst Du Deinen Brüdern geben, deren Augen alle
auf Dich gerichtet sind? Ich stürbe aus Kummer, wenn Du dem
Weg der Vernunft, der Stimme Deines Vaters, der im Namen
unserer Ahnen spricht, nicht folgtest. Wir machen uns Sorgen
um Dich und sehnen uns nach Dir.

Gott segne Dich.

Dein Vater

Lieber Vater,
hab herzlichen Dank für Deinen Brief. Die Post wird immer
schneller. In Deinem Brief wirfst Du ganz wichtige Probleme
auf. Ich will mit Dir darüber nicht lange streiten, ob Du recht
hast oder nicht. Du sprichst im Namen unserer Ahnen. Da will
ich Dich nun fragen, ob unsere Ahnen den jetzigen absoluten
und schrecklichen Gott, wie ihn uns die Missionare aufzwan-
gen, kannten. Wenn es nicht der Fall ist, dann frage ich Dich,
wen sie verehrt hatten. Ich bin nämlich auf der Suche nach
diesem Ursprung. Mit meiner Antwort werde ich Dich kaum
zufriedenstellen, aber sie wird Dich zum Nachdenken zwingen.

In diesem Brief werde ich ausführlich auf das Afrikabild der
Deutschen eingehen. Ich habe inzwischen so viele Kontakte zu
Leuten gehabt und bin auch genug gereist, um dies zu wagen.

Auf die Frage, wie ich mich in Deutschland fühle, kann ich nur antworten: wie ein Sonderling. Jemand hat versucht, mich damit zu überreden, daß ich mich als Germanistikstudent nicht als Fremder in Deutschland zu fühlen bräuchte. Ich habe ihm gesagt, mich treffe auch das Ausländergesetz. Da meinte er, es sei kein Argument. Da habe ich ein Sprichwort von zu Hause vorgebracht. Ich sagte ihm: Ein Baumstamm mag wohl hundert Jahre im Wasser liegen, zu einem Krokodil wird er nie. Danach hat er nichts mehr gesagt. Zwei Kategorien von Leuten sind es, durch welche das Bild des Schwarzen vermittelt werden kann.

Die erste Kategorie besteht aus sensationslustigen Leuten, die voller Vorurteile an den Schwarzen herangehen. Nicht selten habe ich auf der Straße diese Wörter gehört: »Mama! Ein Neger!« Und dabei habe ich den Blick nicht nur der Mutter und deren Kind, sondern auch all derer, die daneben stehen oder gehen, auf mich gerichtet gespürt. Wie kommt es dazu, daß kleine Kinder solchen Situationen verfallen, wenn das nicht in der Familie oder in der Umwelt schon vorgegeben wäre. Ich werde noch darauf zurückkommen.

Als Schwarzer fühle ich mich immer als Repräsentant einer ganzen Rasse behandelt. Tue ich was, dann heißt es: Die Schwarzen machen immer das und das ... Die Neigung zu einer Verallgemeinerung aus einem einzigen Beispiel ist sehr stark. Die Demokratie ist sicherlich kein europäisches Spezifikum. Es hat sie auch anderswo unter anderen Umständen und bei anderen Völkern gegeben. Ein ganzer Kontinent kann doch nicht an einigen seiner führenden Politiker gemessen werden. Idi Amin ist zu einem Symbol des schwarzen Kontinents geworden. Um mehr Leser zu holen, aus welchen Gründen auch immer, braucht eine Zeitung nur sein Bild auf der Titelseite abzudrukken. Der Erfolg ist gewährleistet. Der Inhalt zählt nicht. Die Objektivität darf man auch bezweifeln. Ein Mythos Idi Amin ist durch die europäische Presse geschaffen worden, und er selbst weiß genau, wie und wann er Schlagzeilen machen kann.

Das Bild Afrikas läßt sich außerdem auch mit Almosen in Verbindung bringen. Das sagten mir einige Schüler, mit denen ich mich unterhielt. Der Biafra-Krieg und ein paar Jahre später die Dürre in der Sahelzone haben die Kirche dazu veranlaßt, Gelder für die armen Afrikaner zu sammeln. Die Kirchengebäude waren vorzugsweise die Orte, die am deutlichsten das

Bild des Schwarzen zeigen, der von seinen reichen Mitchristen für die Ewigkeit dazu verurteilt war, immer zu betteln.

Die Vorstellung des Almosens wird noch durch ein falsches Verständnis der sogenannten Entwicklungshilfe bekräftigt. Die Bevölkerung glaubt immer noch an eine karitative Hilfe ohne Gegenleistung. Jeder sollte wissen, daß es aber nicht so ist, daß diese Hilfe ein Geschäft wie jedes andere ist. Um dieses Vorurteil über die Länder der Dritten Welt auszumerzen, bedient man sich eines dubiosen, ja ambivalenten Plakates, das eher das Gegenteil seiner Wirkung erreicht. Dritte Welt läßt sich nach diesem Plakat auf ein wohlernährtes, im Luxus lebendes »Negerpaar« reduzieren. Die Inschrift lautet: »DESHALB SOLLEN WIR UNSERE STEUERGELDER BEZAHLEN«. Du wirst mir zustimmen, daß das Plakat alles andere als aufklärerisch auf die Bevölkerung wirkt. Ich werde Dir jetzt die stereotypen Aussagen über die Afrikaner ersparen. Viele meinen, daß sie unintelligent, faul, unbegabt und laut sind, eine außergewöhnliche Kraft und Ausdauer beim Sex aufweisen und eine starke Neigung zum Tanzen bei jeder Gelegenheit zeigen. Ein großer afrikanischer Dichter und Staatsmann bestätigt sie in dieser Ansicht, wenn er behauptet, die Afrikaner würden beim Klang der Trommeln ihre Kraft wiedergewinnen, indem sie die Füße auf den Boden schlagen. Die Auffassung von der biologischen Determination des Menschen, die den Europäern das rationale Denken und den Afrikanern den emotionalen Bereich zuordnet, ist ein wichtiger, wenn nicht der wichtigste Punkt dieser Ideologie.

Ich will Dir nun von einigen der Kontakte erzählen, die ich zu Deutschen habe oder gehabt habe. Ich möchte nachdrücklich betonen, daß dies nur persönliche, also subjektive Erfahrungen sind, und Du darfst nicht nur von meinen Erlebnissen auf das ganze deutsche Volk schließen.

In einem Dorf, das kurz vorher im Wettbewerb der schönsten Dörfer Bayerns den ersten Platz belegt hatte, war ein Junge, als er unser ansichtig wurde, zu seinem Vater gelaufen und hatte ihn über die Anwesenheit einer Gruppe von Schwarzafrikanern informiert. Der Vater holte sofort seinen Photoapparat. Er kam uns entgegen und grüßte uns sogar. Nachdem er an uns vorbeigelaufen war, nahm er seinen Photoapparat, den er bis dahin auf dem Rücken verborgen gehalten hatte, und machte Aufnahmen von uns. Besseres hätte er nicht erwartet, als einer von uns drohend ihm entgegenging. Unverschämt knipste er weiter. Ich wäre nicht voran gekommen, wenn ich diesen Zwischenfällen – und es gibt noch viel schlimmere – eine außerordentliche Bedeutung beigemessen hätte. Ich habe aber jetzt gelernt, daß man im Kontakt mit dem »Fremden« sein Ehrgefühl einigermaßen unterdrücken und sogar über solche Vorfälle, die sicherlich kein deutsches Spezifikum sind, hinwegsehen muß. Ich habe mich auch nicht beleidigt gefühlt, wenn mich jemand, egal welchen Alters, anhielt und meine Haare berühren wollte. Komisch fand ich auch eine Ätiologie der weißen bzw. helleren Farbe der Innenseite meiner Hände. Wir saßen in einem Lokal, und jemand glaubte eine Antwort auf diese Frage gefunden zu haben. Er behauptete, meine Hände wären weiß, weil ich sie in die Tasche stecke. Warum aber nur eine Seite weiß ist, konnte er nicht erklären.

Natürlich kann man kein vernünftiges Gespräch in zehn Minuten führen; doch solche Fragen sind lächerlich, und ich habe jetzt eine Antwort parat. Dabei hoffe ich immer, daß die Frage nach meinem Herkunftsland als erste gestellt wird. Da Idi Amin populärer denn je ist, brauche ich nur zu sagen, ich komme aus Uganda. Die Erwiderung »Bei Idi Amin!« läßt nicht auf sich warten. Das Gespräch ist dann sofort zu Ende. Diese Methode gewährleistet den sicheren Erfolg bei alten Leuten. Sie ist brutal, aber in diesem System habe ich gelernt, Abwehrmechanismen in mir selbst zu entwickeln.

Wenn ich dann zu einem Gespräch mit Leuten komme, dann meistens über das Warum des Studiums der Germanistik. Die Frage lautet immer: »Warum studierst Du Deutsch, und was willst oder kannst Du in Deiner Heimat damit anfangen?« Man kann viele Antworten darauf geben. Es ist nämlich für mich die wichtigste Frage, die den Sinn und den Zweck meines Studiums ausmacht. Ich könnte eine ganz naive Antwort geben: Die Sprache gefällt mir. Dies würde mich selber nicht zufriedenstellen und schon gar nicht meine Gesprächspartner. Ich könnte auch sagen, ich studiere Deutsch, weil ich nur dadurch die Möglichkeit eines Aufenthalts in Deutschland habe oder weil das Kultusministerium meines Landes mich dafür bestimmt hat. Dadurch würde ich mich entweder als Opfer eines Verlockungsmanövers oder als ohnmächtiges Werkzeug einer bestimmten Bildungspolitik darstellen. Ich glaube aber, daß die Gründe dafür in meinem Willen zu einem »Fremdverständnis« zu sehen sind. Und vielleicht komme ich auch dadurch zu einem Selbstverständnis. Unter »Fremdverständnis« meine ich keineswegs die bloße Aneignung und Vermittlung der Fremdsprache und -kultur. Ich suche eine kritische Auseinandersetzung, die sich Kontrastivität zum Ziel setzt.

Ich will nun die Charakterisierung dieser ersten Kategorie von Deutschen mit einem immer wiederkehrenden Fall abschließen. Der Mythos des »Unheimlichen«, der Afrika anhaftet und aus einer lückenhaften Kenntnis oder aus den unzerstörbaren Vorurteilen resultiert, die von Reiseberichten kolportiert werden, drückt sich in der Erwähnung von Krankheiten, Spinnen, Wärme, aber vor allem von Schlangen aus. Offensichtlich fürchten sich alle Deutschen vor Schlangen. Es wäre interessant, dies zu analysieren. Das Exotische darf auch hier nicht unerwähnt bleiben. Die Leute gehen Wetten ein und wollen von mir wissen, wie groß die Krokodile in Afrika sind, deren Länge zwischen 1,5 und 15 Metern variiert. Und das alles mit der größten Überzeugung gesagt. Hast Du schon ein 15 m langes Krokodil gesehen? Wenn sie aber erst hören, daß die Polygamie bei uns sogar gesetzlich erlaubt ist, da müßtest Du ihre Augen leuchten sehen. Viele möchten zwar nicht in unserem Land leben, aber einmal einen Urlaub da verbringen.

Meine Schilderung wäre unvollständig, wenn ich nicht eine zweite Kategorie von Deutschen einführte. Auf sie will ich aber nicht lange eingehen, da sie noch eine Minderheit bildet. Im allgemeinen gibt es überall vernünftige Leute, mit denen wichtige Probleme erörtert werden können. Es gibt aber auch Leute, die, weil sie ein paar Jahre in Afrika verbracht haben, sich als Afrika-Kenner geben. Das sind die schlimmsten. Viele schreiben dicke Bücher, ohne das Wesen Afrikas wahrgenommen zu haben. Ich wäre ungerecht, wenn ich behauptete, es gäbe keine Leute, die über Afrika Bescheid wüßten. Afrika wird jedoch nur mit europäischen »Augen« betrachtet.

Wenn ich mir eine abschließende Bemerkung in diesem sehr langen Brief, in dem ich Dich mit Fakten und Vorfällen überladen habe, erlauben darf, so muß ich sagen, daß ich mich wie ein Fremdkörper in Deutschland fühle. Ich verstehe, entschuldige aber nicht die Angst vor dem Fremden. Wir als Schwarze verkörpern noch keine unmittelbare Gefahr für die deutsche Wirtschaft wie andere Ausländer. Das »Fremdverständnis«, egal aus wessen Perspektive, kann nur dadurch erreicht werden, daß wir frei von jedem Vorurteil Schritte aufeinander zu machen. Du weißt aber, daß es leichter ist, ein Atom zu zerschlagen als ein

Vorurteil abzuschaffen. Damit möchte ich meinen Brief abschließen. Du wirst mir es wohl nicht übelnehmen, wenn ich bis Juni keinen Brief schreibe. Ich habe nämlich zwei harte Prüfungen. Bis dahin, Vater, und alles Gute.

Dein Sohn

Nkong, den 15. Juli 1978

Mein lieber Sohn,
eben erhalte ich Dein Telegramm, in dem Du mir Deinen Prüfungserfolg mitteilst. Als Vater – und die ganze Familie schließt sich mir an – kann ich nur darauf stolz sein. Ich danke Dir für Deinen ausführlichen Brief. Ich habe mehrere Pausen einlegen müssen, weil meine Augen öfters müde wurden. Viele Punkte habe ich nicht recht verstanden, und ich möchte sie mit Dir noch besprechen.

Ich komme nun zum eigentlichen Thema meines Briefes. Nach dem Empfang Deines Fernschreibens habe ich mit einflußreichen Angehörigen unserer Familie gesprochen, die Dir auch sehr nahe stehen. Wir haben wie eine einzige Stimme beschlossen, daß Du nun nach Hause zurückkehren mußt. Die Europäer töten immer unsere besten Kinder, und wir möchten Dich nicht verlieren. Deine Tante läßt Dir sagen, daß Du verrückt werden könntest. Was Du jetzt gelernt hast, ist genug. Unsere Väter haben uns ein Sprichwort hinterlassen: »Der Elefant ist deshalb groß geworden, weil er zu viel essen wollte.« Intelligent ist er nicht. Diese Weisheit kannst Du selbst aus unseren Märchen herauslesen. Auch wenn Du kleine Fallen stellst, kannst Du immer noch Wild fangen. Komm zurück! So befiehlt es die Familie, aber vergiß nicht, was ich Dir gesagt habe: Wir wollen keine weiße Frau bei uns sehen. Wir haben uns nicht um Dich gekümmert, um eine andere, die uns völlig ignorieren wird, von Dir profitieren zu sehen. Wir freuen uns schon auf ein baldiges Wiedersehen.

Dein Vater

Mein lieber Vater,
ich habe vor ein paar Tagen Deinen Brief bekommen. Ich
brauchte einige Zeit, um dessen Inhalt zu verdauen. In meinem
letzten Brief habe ich versucht, Dir die Gefahr von Vorurteilen
aufzuzeigen. Deine Reaktion ist gerade das Gegenteil dessen,
was ich bezweckte. Ich begreife immer noch nicht, was Dich
dazu veranlaßt, mir zu sagen, ich liefe Gefahr, von den »Weißen« getötet zu werden. Du weißt ja nicht, wie ich hier lebe und
mit wem ich verkehre. Es mag zwar bedrückend sein, daß viele
Afrikaner nach Abschluß ihres Studiums aus nachweisbaren
Gründen gestorben sind. Wie das aber bei uns zu Hause umge-
deutet wird, zeigt sich an Eurer Reaktion. Das Interesse der
Europäer an meinem Ableben bleibt Euer reines Phantasiepro-
dukt. Es bleibt mir auch unverständlich, daß ich laut der Familie genug studiert haben soll. Die beiden bestandenen Prüfungen sind nur ein Vorwand. Ich erkenne darin Eure Mittelmäßig-
keit und darüber hinaus Euren Machtanspruch auf die einzelnen Familienangehörigen, die in Eurem System keine Individualität haben können. Ihr habt vielmehr die Absicht, einmal
oder von nun an auch von *mir* profitieren zu können, und nur
so verstehe ich Dein Gebot, keine weiße Frau zu heiraten. Du
wirst mir zugeben müssen, daß nicht mein Interesse, sondern
das eure im Vordergrund steht. Ich kehre zurück, nicht deshalb,
weil ich verrückt werden könnte – wie lächerlich – oder weil ich
Angst vor einer angeblich drohenden Tötung hätte, sondern
weil mir momentan keine weitere Ausbildungsmöglichkeit angeboten wird. Aber bevor ich das Land verlasse, möchte ich
noch auf seine Bewohner eingehen.
  Bei meinen deutschen Kommilitonen habe ich vor allem in
der Mensa eine tiefe Neigung zur Ordnung und Disziplin beobachtet. Die Schlachten, die wir zu Hause in der »Schlange« zur
Mensa geliefert hatten, sind mir noch in Erinnerung. Die Nar-
ben kann ich Dir noch zeigen. Jeder hatte es eilig, sein Tablett
serviert zu bekommen. Dafür verloren wir aber viel Zeit und
Energie. Hier sieht es ganz anders aus. Der deutsche Student
reiht sich hinter die anderen in der Schlange ein, er schreckt
nicht vor deren Länge zurück. Alles mit Geduld, aber effizien-
ter. Im aktiven Leben geht es genauso. Jeder beim Arzt merkt
sich genau, wann er gekommen ist. Keiner kann vor dem anderen eintreten, wenn er nicht an der Reihe ist. Dieses ruhige

Hinnehmen von Situationen ohne jegliche Reaktion scheint mir ein Zug der Mitläuferschaft zu sein.

Was ich noch bei einigen Leuten feststelle, mit denen ich ein Gespräch geführt oder deren Lebensstil ich beobachtet habe, ist der Akkumulationsdrang. Es genügt nicht zu sagen, daß der Hang der Deutschen zu einem ausgesprochen starken materiellen Wohlstand sich durch die vielen Kriege und Wirtschaftskrisen, die sie durchmachten, erklären läßt. Ich sehe darin vielmehr die Extrem- oder Fehlentwicklung einer Konsumgesellschaft. Das Geld, das man mit allen Energien sammeln muß, bestimmt die Beziehungen der verschiedenen Leute zueinander. Man lebt nur für den nächsten Urlaub. Das kann ich noch verstehen. Ein Merkmal dieser Gesellschaft ist auch das Prinzip der Leistung. Jeder wird nur an dem gemessen, was er für die Gesellschaft leisten kann. Auch wir als Studenten müssen bestimmte Leistungen erbringen, um uns überhaupt durchzusetzen. Leistungsunfähige Leute haben hier nichts zu suchen. Du verstehst dann auch, daß alte Leute eher ein Hindernis darstellen als bei uns, die wir in dem Sinne keine Altersheime haben, sondern uns um unsere Greise selber kümmern. Es ist furchtbar, wieviele alte Leute hier noch am Leben sind. Ich frage mich immer, wozu denn so lange leben, wenn ich nicht akzeptiert und von meinen Angehörigen schon als Last betrachtet werde. Es gibt hier zwar viele alte Leute, aber wenige Kinder. Es steht fest, daß die BRD an der untersten Stufe der Skala steht, was die Geburtenrate betrifft. Deutschland bezeichnete ein überzeugter Christ als das Land, in dem viele Särge angefertigt und wenige Wiegen gebaut werden. Das schließt nicht aus, daß manche Familien mehr als drei Kinder haben. Aber der Durchschnitt liegt bei 1,5 Kinder.

Bei meiner Ankunft in Frankfurt vor elf Monaten riefen schon die vielen Autos ein unheimliches Gefühl in mir hervor. Die Unsinnigkeit der vielen Autos haben wir neulich auf einer Reise zu spüren bekommen. Wir gerieten in einen Stau und konnten uns erst nach drei Stunden bei der nächsten Ausfahrt befreien. Wir hatten nicht einmal fünf Kilometer zurückgelegt. Das ist die Kultur, die man uns bringen will. Wenn ich diesen Fall erwähne, so will ich damit nur die ganze Ambivalenz ihrer Wissenschaft aufwerfen. Eines der Hauptverdienste der Kolonisation, so die Verteidiger dieser Ideologie, ist, daß viele Krankheiten bei uns bekämpft wurden. Es mag schon stimmen, obwohl viele ganz neue Krankheiten noch dazu gekommen sind. Die Kehrseite davon ist aber noch beunruhigender. Der technologische Fortschritt wurde für Zerstörungszwecke im Dienste der Machtgier mißbraucht. Und diese Technik verfeinert sich immer mehr. Auch am Menschen zeigt sich die Kehrseite dieser Entwicklung, die er einleitete und nicht mehr stoppen kann. Aus der Ideologie des Machbaren resultiert die Entmenschlichung des alltäglichen Lebens. Der Mensch wird zu einem einfachen Zubehör. Zu welcher Kommunikation kann man noch kommen, wenn jeden Abend und den ganzen Sonntag lang ferngesehen und dabei kein einziges Wort ausgetauscht wird.

Den Bogen brauche ich nicht mit weiteren Beispielen zu füllen. Du merkst schon selbst, insofern der Bereich des materiellen Lebens an Bedeutung gewinnt, tritt der Mensch immer mehr in den Hintergrund, wird zu einem Instrument seiner eigenen Werkzeuge und entfremdet sich im Grunde seines Wesens immer mehr sich selbst.

Ich möchte Dir unbedingt einiges über einen Artikel berichten, den ich neulich gelesen habe. Der Verfasser will bei den Deutschen eine Angstkultur, d. h. Angstbereitschaft und Sicherheitsbedürfnis, festgestellt haben. Dem Verfasser nach besteht ein Wettstreit unter den gefährlichsten Wahnfeinden; diese Feinde heißen Kommunismus, Kapitalismus, Sozialismus, Imperialismus, Faschismus oder Terrorismus. Angst und Sicherheitsbedürfnis gehören zusammen. Der Autor führt Beispiele an, in denen sich Bürger entweder mit Panzerglas oder Leibwächtern vor anderen Bürgern schützen. Sein gelungenstes Beispiel scheint mir die medizinische Vorsorge. Er spricht von den vielen und sehr gut ausgerüsteten Hausapotheken, die sich im Badezimmer jedes Hauses befinden. Der »Apotheken-Voyeurismus« besteht darin, daß das Medizinschränkchen die Neugier der Freunde und Fremden erregt. Der Neugierige will sehen, woran sein Gastgeber leidet und wie er sich selbst vor solchen Krankheiten schützen könnte. Da sich die Schränkchen in den Badezimmern befinden, kann der Besucher sich der Apotheken-Spionage ohne Sorge um eine eventuelle Überraschung hingeben.

Am Ende meines Aufenthaltes weiß ich immer noch nicht viel – wenn ja, dann nur oberflächlich – über die Deutschen. Ich habe immer wieder betont, daß meine Erfahrungen ganz persönliche Erlebnisse bleiben, und Du darfst von ihnen auch nicht auf die Allgemeinheit schließen. Wenn man so gute Kontakte mit Leuten aus den verschiedensten Schichten gehabt hat, fällt es einem schwer, all diese Leute zu verlassen, die ich wahrscheinlich nie mehr wiedersehen werde. Am Ende kann ich auch nicht sagen, inwieweit mich die Berührung mit der deutschen Gesellschaft nicht entfremdet hat. Ich könnte mich sicherlich affirmativ trösten und sagen, ich hätte mich nicht verändert, aber es wird sich in den nächsten Monaten herausstellen, was ich doch unbewußt aufgenommen habe. Das Schlimmste dabei wäre für mich, von den eigenen Leuten als »Weißer« abgestempelt zu werden.

Wir sehen uns bald. Vielleicht vergießt Du diesmal Freudentränen.

Dein Sohn

»Ohne deutsche Sprache keine Möglichkeit, Philosophie zu betreiben«: dies war die Ansicht meiner Lehrer an der Universität Buenos Aires.

Meinten sie damit, daß man die deutsche Sprache braucht, um den Begriff des »elan vital« bei Bergson zu verstehen? Sie konnten auch nicht Ortega y Gassets »Unser Leben ist die radikale Realität; Leben ist Biographie, nicht Biologie« im Sinne haben.

Nein, das meinten sie wirklich nicht. Bergson sollten wir aus Max Scheler herauslesen, und für Lebensphilosophie hielten sie nur die Diltheys: deutsche Philosophie also. Wir akzeptierten dies, ohne viel zu diskutieren: bei uns wurde nicht diskutiert, bei uns wurde vorgelesen und zugehört und alles bei der Prüfung besser oder schlechter nachgeplappert: selbständiges Denken nicht erwünscht. Auch wenn bei uns die Studenten in der Aula sitzen und nicht im »Hörsaal«.

Die Benennung »Kultur-Imperialismus« war in einem anderen Kulturgebiet im Gebrauch: in der Kunst, und da meinte man hauptsächlich den Einfluß der U. S. A. auf die zeitgenössischen argentinischen Künstler, die dem Publikum manche Formen nahe brachten, die nicht dem gesunden, traditionellen, katholischen, ethischen, familiären Empfinden des argentinischen Volkes entsprächen. Dieser »yanki«-Einfluß sei unannehmbar, weil die Kultur . . . die kommt aus Europa! Entschuldigung! . . . aus Mittel- und Nordeuropa, wo die Menschen blond, groß, schön und intelligent sein sollen. Die Kultur im Mittelmeerraum sei nach der Renaissance zu Ende gegangen, sie sei gen Norden umgesiedelt. Kultur gab es in Italien bis Michelangelo, in Spanien bis Cervantes oder Quevedo.

Dies ist die Wertachse der Argentinier (die ihren Minderwertigkeitskomplex deutlich macht): Ausländisches ist immer besser als Einheimisches; Europäisches besser als (Nord-)Amerikanisches; Germanisches besser als Lateinisches. Und was macht da eine Philosophie-Studentin, Auswanderer-Tochter, die sich einen Deutschen als »novio« zugelegt hat? Sie lernt Deutsch! Sie besucht die Kurse des Goethe-Instituts in Buenos Aires, samstags 9 bis 12 Uhr, da die Lehrtätigkeit ihr unter der Woche keine Zeit übrig läßt.

Beim Unterricht die erste Begegnung mit deutschen Ansichten. Dort, im Goethe-Institut, begann schon das fremde Land Deutschland.

Mit der Sprache findet, auch ungewollt, eine Vermittlung von Weltanschauungen statt. Wessen? Zum Teil, es ist klar, die der unterrichtenden Person. Zum Teil die der Gruppe, die diese Sprache spricht und der die unterrichtende Person angehört. Ohne Zweifel gehören die am G. I. Tätigen zur in Buenos Aires ansässigen »Deutschen Kolonie«. Es sind die Deutschen, die am Wiederaufbau Deutschlands nicht teilgenommen haben, dennoch sind sie auf das »Deutsche Wunder« stolz und wollen davon unbedingt profitieren (sie haben ein Recht darauf, sie sind Deutsche!), indem sie z. B. vom G. I. unterhalten werden wollen oder informiert. Da gehen sie hin, zum Experimental-Kino-Zyklus, um den progressiven Regisseur kraß zu verurteilen: »Der gehört an die Wand gestellt.«

Das sind die »Auslands-Deutschen«, die sich selbst »reichs-treue Deutsche« nennen (III. Reich inbegriffen). Für sie liegt »drüben« das Paradies (das verlorene Paradies, könnte man meinen . . .). Die akzeptieren keinen verlorenen Krieg, keine Weiterentwicklung der Deutschen als sozial-humane Gruppe, des Deutschen als Sprache. Und selbstverständlich sind die »Hiesigen«, die »Criollos«, die Einheimischen, keinen Pfennig wert: nicht als sozial-humane Gruppe, nicht unsere Sprache (die sie nie lernten). Auch nicht das Land, wo sie seit vielen Jahren wohnen, wo sie aber nicht leben. Das Land, das sie sich die Freiheit nehmen, zu kritisieren, das sie sich die Mühe nicht nehmen, zu kennen.

Daß in diesem keine Landschaft ist, lernen die Kursteilnehmer im Unterricht. Schnelles Nachschlagen in den Wörterbüchern: »Landschaft: paisaje«. Und »hier ist keine Landschaft«, behauptet Fr. U. 2719810 qkm Landschaftslosigkeit!

Später, in Deutschland, lernte ich, wie für deutsche Gemüter eine Landschaft auszusehen hat. Unentbehrliche Elemente sind dabei Wald, Berg und Bach, Hirsch und Hummel. Also, adjektivisch: grün, abwechslungsreich, naß, lebendig (im Sinne von Tieren, die man füttern kann), LIEBLICH! Nein, da hatte Fr. U. recht, das hat Buenos Aires nicht: eine Provinz von 307000 qkm flacher Pampa, höchstens Erhebungen von einigen hundert Metern sind da, erdige Flüsse und viele Millionen Rinder, die die schlechte Angewohnheit haben, nicht aus der Hand fressen zu wollen.

Daß die liebliche Landschaft – Landschaft per definitionem – von der sie reden oder träumen, eine verbrauchte, vermenschlichte, will sagen entnaturalisierte ist, wollen, können sie nicht einsehen. Eine Landschaft, die nicht mehr die Übergröße des Göttlichen hat, sondern die gesitteten Maße des Zivilisierten.

Inwiefern kann ein Lernender diese Äußerungen seiner Deutsch-Lehrer als deutsche Meinungen bewerten?

Sie sind es, ja, sie sind es. Weil weder die Auslands-Deutschen noch die Deutschlands-Deutschen es gewagt haben, die Nabelschnur zu durchschneiden. Vollends vertreten sie noch die imperialistische Parole: »Wo ein Deutscher ist, ist Deutschland«.

In Deutschland dann den armseligen persönlichen Kontakt mit den anderen Deutschen.

Ihre Selbstdarstellung in der Presse, im Funk und Fernsehen.

Es ist die Zeit des Schnell-sich-aneignens des Wortschatzes, der falsch verstandenen Bezeichnungen, der nicht verstandenen Begriffe, des Sich-lustig-machens über die »kreierten« Worte, manche heute noch im familiären Bereich als ganz privater Wortschatz im Gebrauch.

Ich bin »hin- und herzerrissen«, weil das meine eigene Erfindung ist und weil es meinen seelischen Zustand besser beschreibt.

Daß ich nur selten »Pinkelnickel« esse, versteht sich ja ... Meine Gewohnheit, bei langen Autofahrten auf der Autobahn einen Rast-Platz aufzusuchen, um dort nach Lust und Laune zu »rasten und platzen«, würde der ADAC sicherlich nicht unüberlegt weiterempfehlen.

Langsam, sehr langsam, kommen Beziehungen zustande. Hauptsächlich am Arbeitsplatz, weil in der Uni die Kontakte häufiger zu ausländischen als zu deutschen Studenten sich ergeben.

Jetzt ist die Zeit, wo ich versuche, mich einzuleben, mich anzupassen, die Verschiedenheiten zu verstehen, indem ich sie akzeptiere.

Um zu verstehen, muß ich leider doch das Ganze in meine eigenst-individuelle Sprache übersetzen. Was für eine unvollkommene Hilfe dabei ein Wörterbuch sein kann, hatte ich als Grundstufe I-Schülerin des G. I. beim Wort Landschaft bald erfahren müssen.

Meine Muttersprache und meine Privatsprache habe ich entwickelt, indem ich für jedes Objekt, für jede Handlung, für jede Beziehung, für jeden Gemütszustand eine Benennung elaboriert habe. Hier mußte ich mir aufgrund neuer Erfahrungen neue Benennungen elaborieren.

Die nächste Schwierigkeit erbot sich beim Wort »Freund«. Laut Langenscheidt: »amigo/a«. Aha! Das ist einfach: Freund hat eine Mehrzahlform Freunde, die brauche ich: »amigos«. Man hat ja viele »amigos«: gute, schlechte, treue, falsche, großzügige, bei denen man etwas pumpen kann, Lumpen, die sich andauernd von uns was auspumpen wollen. Freunde, mit denen man ins Kino geht, um nachher, bei einem Stück Pizza, den Film ausführlich zu diskutieren und sich dabei auszusprechen. Mit denen man Urlaub macht, tanzen geht, über Politik, Fußball, Kindererziehung, Geldanlagen, Mode redet und auch mal ein bißchen klatscht. Es sind immer dieselben Freunde. Der eine mag das, der andere was anderes, aber sie mögen sich und sie suchen und finden auch Kontaktpunkte, wo sie zusammenkommen können. Jahrelange Freunde, von denen man weiß: sie sind da. Man braucht nur anzurufen, und alles setzt sich wieder in Bewegung, als hätte man sich gestern zum letztenmal gesehen. Nur daß man jetzt soooo ... viel zu erzählen hat!

Freundschaft ist eine auf einer breiten Schicht von Gefühlen basierende Beziehung. Freunde, Freundinnen haben etwas gemeinsam mit Geschwistern, mit Kollegen, Kameraden, Kumpanen. Nur eines teilen sie nicht (miteinander): das Bett. Die ständige, dauerhafte sexuelle Beziehung nimmt bei uns eine andere affektive Stufe in Anspruch, und da sagen wir: »die sind mehr als Freunde!«

Dagegen hat man in Deutschland *einen* Freund bzw. Freundin. Weitere kommen einzeln schön der Reihe nach. Und was dieser Beziehung das Typische verleiht, ist das miteinander geteilte Bett. Freund-Freundin können getrennt ihre Getränke zahlen, können verschiedene Bekanntenkreise haben, die Miete zu je einer Hälfte zahlen, aber sie schlafen zusammen.

Eine intimere, persönlichere Beziehung als die der Kollegen, wo aber das Bett fehlt, gibt es nicht. Fehlt hier eine Zwischenstufe?

Worte sind Namen für bestehende oder erdachte Realitäten. Wo der Name fehlt, fehlt das Objekt. Und es gibt im Deutschen keine Bezeichnung für diesen Freund, den Türken und Spanier, Nord- und Lateinamerikaner, Italiener und viele andere kennen.

Soll das heißen, daß im deutschen sozial-affektiven Leben eine Schicht nicht vorhanden ist, die man bei anderen Kulturen findet?

Ist Freundschaft eine spezifische affektive Beziehung, dann muß ich annehmen, daß die Deutschen ihrer unfähig sind. Warum? Sind sie affektiv weniger oder nicht so breit oder nicht so differenziert entwickelt wie andere Völker? Sind sie ein gemüts-unterentwickeltes Volk?

Schwierig wird es, wenn beide Kulturzonen in Berührung kommen.

Ich zeige mich teilnahmebereit, der andere interpretiert mein Interesse als leere Formalität und antwortet mit Gemeinplätzen.

Ein neuer Versuch: diesmal meint mein Ausgesuchter, ich sei ihm zu nahe getreten und reagiert heftig, sich abwehrend, schneidet sofort alle mühevoll geknüpften Verbindungsfäden ab. Er meint, er muß seine von mir bedrohte Individualität beschützen.

Drittes Beispiel eines mißglückten Unternehmens: wir sehen uns täglich, wir sind gern zusammen: wir arbeiten, essen, lachen, erzählen, diskutieren, zanken uns und vertragen uns wieder. Wir sind lustige Kumpel. Dieser ist ein Freund! Ja, in seinem Sinne: er denkt schon ans Zusammenleben! Diesmal sehe ich die rote Ampel. Immerhin, ich bin glücklich verheiratet und nicht auf der Suche nach Seitensprüngen.

Die ersten zwei ahnen, was Freundschaft sein kann, lehnen es aber ab, sich in der Sache zu kompromittieren. Der eine glaubt nicht, hat alle Hoffnungen beigelegt, daß jemand sich für seine Probleme ernstlich interessieren kann. Dem ist das Risiko der Enttäuschung zu groß. Der zweite hat Angst davor; er schätzt Individualität weit über Gemeinsamkeit. Der wunde Punkt ist die Verantwortung, die Verpflichtung, die daraus entsteht. Der dritte ist optimistisch und stürzt sich auf das Freundschaftsfeld. Nur ist seine eine anders definierte als meine Freundschaft. Der versteht keine Gemeinsamkeit ohne Sex. Der hat keine Ahnung, worum es geht, macht sich keine Gedanken darüber. Er sieht keinen Zusammenhang Freundschaft-Verpflichtung: für ihn soll sie Spaß machen und solange bestehen, wie sie Spaß macht.

Weil die Freundschaft fehlt, ist die Institutionalisierung in Deutschland so weit entwickelt. Statt Familie und Freundschaft, die ein inneres, tiefes Engagement verlangen, sind Feuerwehr, Essen-auf-Rädern, Telefonische Seelsorge, Polizei da. Die beruhen nicht auf Gegenseitigkeit, die werden mit Geld bezahlt.

Geld löst Gefühle ab. Die sind nicht auf emotionell-persönliche Basis gebaut, sondern vom Staat, von der Gemeinschaft, von dem Einzelnen organisiert und getragen, will sagen bezahlt. Institutionen, wo der Einzelne nicht ein Teil ist, sondern ein Mitglied, wo die Anonymität bewahrt wird, obwohl der Computer und der Staat alle Einzelheiten erfahren dürfen oder zumindest können.

Der Vorteil: Mitgliedschaft ist kündbar, Dazugehörigkeit ist auf Lebensdauer, nicht mal abtretbar ist sie. Weder weiteste Entfernung noch heftigster Streit lösen sie auf. Für manche ist diese die parallele Entwicklung, im sozialen Bereich, zur Industrialisierung, und sie erwarten von den sogenannten Unterentwickelten einen ähnlichen Weg: den Weg des Fortschrittes zum entmenschlichten Komfort. Das hat leider mit »Qualität des Lebens« wenig zu tun. Es sind diesselben, die sich nach Ländern sehnen, wo das »einfache Leben« noch möglich ist (für devisenstarke Touristen). Freundschaft und Gefühle sind ein wichtiger Bestandteil des einfachen und qualitätvollen Lebens. Außerdem ist dieses Phänomen nicht in allen industrialisierten Ländern zu beobachten: U. S. A., Frankreich, England halten sehr viel von nicht-institutionalisierter Freundschaft.

Auch das Wörtchen »Leistung« hat seinen Teil an Überlegungen von mir abverlangt.

Ich habe noch nicht geschafft, die Langenscheidtsche Version mit der deutschen Realität in Einklang zu bringen. Im Wörterbuch steht: »Leistung: tendimiento, producción, obra«. Und das ist Leistung im Arbeits-Alltag: wichtiges Gespräch in Brüssel. Zwei karrierebewußte Manager fliegen von München nach Brüssel.

6 Uhr früh aufstehen, nach Riem fahren (mit der S-Bahn, bitt' schön, es soll nicht zu viel Geld in Taxis ausgegeben werden).

9.10 Uhr, Abflugszeit. Unbequemer, unruhiger Flug.

11 Uhr, Ankunft in Brüssel: »Am besten gehen wir gleich essen«. Üppiges Essen im Nobel-Restaurant (Firma zahlt). Gesprächsthema: Allgemeinheiten.

14 Uhr, ein bißchen schläfrig, da mit Wein nicht gerade gespart wurde, zwei Stunden ungezwungene, lockere Unterhaltung über das Projekt, weswegen man hingeflogen ist, Kaffee und Gebäck werden netterweise gereicht.

17 Uhr, Autofahrt zum Brüsseler Flughafen. »Tja, wir müssen uns nochmal zusammensetzen, um Einzelheiten zu bespre-

chen. Nächste Woche?« ... »Ja, nächste Woche, selbe Zeit, selber Platz« ... Selber Plan! ...

2 Rückflugtickets, 4 teure Mittagessen, 2-Mann-Tage (Dipl. Ing. bzw. Dipl. Kfm.) plus 2 mal 4 Freizeitstunden vergeudet. Genau dasselbe Ergebnis hätte man mit 20 Minuten Telefongespräch erzielt.

Das berufliche Weiterkommen hat mit »Leisten« ziemlich wenig zu tun (weder im westlich-kapitalistischen noch im östlich-sozialistischen Sinne). Streß und Zwang wurden trotzdem nicht abgeschafft. Sie wurden zu Politisier-Zwang und Gerüchte-Streß. Überstunden werden wie eh und je gemacht, Verzicht auf Freizeit und Privatleben wird nach wie vor erwartet.

Soll das die Humanisierung des Arbeitsplatzes sein? Ein Versuch, die entfremdende Trennung Arbeit-Privatleben aufzuheben? Dem Großraumbüro etwas Heimeliges zu verleihen? Dann wäre der zweite Schritt die Einladung der Familienmitglieder – Ehepartner, Kinder – zur gemeinsamen Freizeit im Büro.

Aber hier sind sie, die 4 000 000 ausländischen Arbeitnehmer, die nicht daran denken, jemals dieses »Nicht-Einwanderungs-Land« zu verlassen. Die vielen Rückwanderer, Ehefrauen und Ehemänner, die gern und willig ihren Partnern nach Deutschland gefolgt sind. Kinder von deutschen Eltern, irgendwo zur Welt gekommen, die ihren Ländern Deutschland vorgezogen haben.

Warum kommen sie hierher und bleiben hier?

Ohne weiteres verzichten sie auf die gepriesene Freundschaft, gewaltige Landschaft, menschliche Arbeit. Sie wollen jetzt, daß ihre Bekannten sich ankündigen, bevor sie sie besuchen. Sie wollen plötzlich das Recht der Deutschen auf Vereinsamung und Anonymität mit ihnen teilen.

Sie wollen lieber Radwanderungen in der lieblichen, waldschattigen Aubinger Lohe mit Brotzeit unter den Schloßkastanienbäumen unternehmen, als der Willkür ihrer Militärs ausgesetzt sein, ohne die Freiheit, sich im eigenen Land zu bewegen. Sie wollen in Deutschland leben und arbeiten. Vielleicht, sogar gegen den Strom, etwas leisten. Sie sahen sich gezwungen, auf das Gewaltige ihrer Landschaften zu verzichten, weil das zusammen mit Gewalttätigkeit erschien. Ihre Familien wollen sie ernähren können und haben deswegen das Liebliche vorgezogen, weil sie sich Frieden, sozialen Frieden erhoffen.

Jetzt sind sie zum Gegenstück der Auslands-Deutschen geworden, sie sind Deutsch-Ausländer ohne Zurück ...

SINASI DIKMEN
Kein Geburtstag, keine Integration

Nach jeder Geburtstagsfeier in Deutschland, zu der ich eingeladen worden bin, ist es das gleiche Theater. Seit einiger Zeit nehme ich Geburtstagseinladungen überhaupt nicht mehr an, weil ich ganz genau weiß, daß der bekannte Fragesturm mich wieder schüttelt, wenn ich hingehe.

– Warum feierst du denn deinen Geburtstag nicht?
– Soviel brauchst du wirklich nicht zu sparen.
– Willst du in kürzester Zeit in die Türkei zurückkehren?
– Wird in der Türkei kein Geburtstag gefeiert? Warum nicht?

Ich habe jedesmal eine andere Antwort gegeben. »Ich mag nicht«, habe ich gesagt, »daß wir uns nur wegen des Geburtstags treffen.« Ich habe gesagt, »Geburtstagfeiern ist eine Erfindung der Konsumgesellschaft; wenn wir uns treffen wollen, so brauchen wir doch keinen Grund«. Es hat alles nichts genützt. Ich weiß schon, daß meine deutschen Bekannten mich in ihre Gesellschaft voll integriert sehen wollen. Solange ich aber keinen Geburtstag feiere, scheitert dieser Integrationsversuch. Es fehlt mir nur dieser Scheiß-Geburtstag. Ich kann meinen deutschen Bekannten die Wahrheit nicht sagen, weil sie eben nur Bekannte sind und keine Freunde.

Bevor ich nach Deutschland gekommen bin, habe ich nicht gewußt, daß irgendein Tag im Leben eines Menschen so wichtig sein könnte. Meine Zukunft in Deutschland hängt von diesem Datum ab. Aber soviel ich weiß, habe ich keinen Geburtstag. In meinem Reisepaß steht zwar ein Datum, aber das ist nur geschrieben, damit die Deutschen nicht meinen, daß ich noch nicht geboren bin.

Wenn ich meinen Geburtstag feiere, will ich auch Spaß daran haben. Wie kann ich denn Spaß daran haben, wenn ich meinen Geburtstag an einem Tag feiere, an dem ich höchstwahrscheinlich nicht geboren worden bin?

Um meinen Geburtstag herauszubekommen, bin ich im letzten Jahr zum Urlaub in die Türkei gefahren. Wo sollte ich bloß anfangen? Beim Einwohnermeldeamt? Da kann man nur das offizielle Geburtsdatum erfahren. Ich habe ja schon ein Geburtsdatum. »Das kannst du vergessen, Sinasi«, habe ich mir gedacht. »Lieber fragst du deine engsten Verwandten, Mutter,

Schwester, Onkel, Tante, Schwager.« So habe ich mit meiner Mutter angefangen. Meine Mutter ist wie alle anderen türkischen Mütter, geduldig und lieb. Sie kann weder lesen noch schreiben. Sie hat sechzehn Geburten hinter sich, es leben nur noch fünf Kinder. Sie hat immer gearbeitet und Kinder geboren, einen von uns hat sie im Wald, den anderen auf dem Feld, den anderen auf der Treppe beim Wassertragen, auf jeden Fall keinen von uns im Krankenhaus im gemütlichen, weichen Bett, umgeben von Krankenschwestern und ausgebildeter Hebamme, geboren. Sie ist eine von den türkischen Müttern, die alles machen, was ihre Männer wollen.

Sofort nachdem ich die hornhautvollen Hände meiner Mutter geküßt hatte, habe ich sie gefragt:

»Sag mal, Mutter, erinnerst du dich daran, wann du mich geboren hast?«

»Mein lieber Sinasi, ist es so lebenswichtig, daß du an mich gleich diese blöde Frage stellst? Willst du nicht zuerst essen? Du bist ja einen weiten Weg gekommen. Ich habe Sarma* mit Knoblauch gekocht, das hast du in Alemanien bestimmt nicht gegessen.«

»Nein, Mutter«, habe ich gesagt, »essen kann ich nachher. Ich möchte unbedingt wissen, wann du mich geboren hast.«

»Nicht so stürmisch, Sinasi. Haben die Alemanen dich so kaputt gemacht, daß du nicht mal an deine Lieblingsspeise denken kannst? Ich habe gehört, daß die Alemanen nur an Arbeit denken, ist es wahr? Sind sie denn so fleißig, daß sie ohne Arbeit nicht leben können, oder sind sie so ungeschickt, daß sie mit der Arbeit nie fertig werden?«

»Mutter, die Alemanen denken nicht mehr nur an die Arbeit. Die junge Generation denkt jetzt an Saufen und Fernsehen, die alte Generation denkt an alte Zeiten und an Autos.«

»Was, an Saufen, das ist schlimm, das ist schlimm, Sinasi. Gott bewahre dich vor solchen Leuten. Du trinkst nicht? Das ist gut. Dein Vater hat auch nicht getrunken. Mein lieber Sinasi, wer nur an seine Arbeit denkt, der ist ein Besessener, und wer besessen ist, der ist kein Mensch. Um Mensch zu sein und zu bleiben, muß man auch an die anderen Dinge denken können, an die Blume, an das Feld, an den nächsten Nachbarn, an Kühe, an Bäume, an Eltern. Ich habe wieder viel gesprochen. Also, wann ich dich geboren habe? ... Laß mich mal überlegen.«

* Krautwickel

Meine Mutter hat über eine halbe Stunde überlegt. Inzwischen hat sie Hirtensalat gemacht. So guten Hirtensalat macht nur meine Mutter, mit Oliven, Schafskäse, Paprika, viel Gurken und Zwiebeln. Dann hat sie mir gesagt:

»Ja, mein lieber Sohn aus Alemanien, ich habe gut überlegt, damit ich dich mit den anderen nicht verwechsle, und glaube herausgefunden zu haben, wann ich dich geboren habe. Du bist an dem Tag geboren, an dem unser kräftiger Bulle verschwunden ist. An dem Tag ist niemand zu Hause gewesen. Ich habe zu deinem Vater, Gott gebe ihm die ewige Ruhe, gesagt, daß es noch nicht so weit sei, er kann ruhig in den Wald zum Holzhacken gehen, und er ist dann auch gegangen. Zwar hat er vor sich hingebrummt, aber ich habe es nicht ernst genommen, die Männer brummen immer vor sich hin. Deine Geschwister habe ich aufs Feld geschickt, wegen eines Kindes kann man die Arbeit auf dem Feld nicht liegen lassen. Aber du, du warst so unruhig, du wolltest unbedingt raus. Kurz gesagt, zu Hause war niemand, um auf den Bullen aufzupassen, ich war sehr beschäftigt mit uns. Als ich gemerkt habe, daß unser Bulle verschwunden ist, warst du schon da, aber der Bulle war weg. Der Bulle war einer von besonderer Zucht. Er hat Bernstein geheißen, weil er eine Farbe wie ein Bernstein hatte. Jeder im Dorf hat uns beneidet, daß wir so einen Bullen hatten, und gesagt: ›Mensch, Sari Ahmet hat aber einen Bullen.‹ Ich vermute, ein böser Blick hat unseren Bullen getroffen.«

Ich habe meine Mutter gefragt in der Hoffnung, daß ich wenigstens die Jahreszeit herausbekommen könnte:

»Liebe Mutter, warum hast du meine Geschwister auf das Feld geschickt? Was haben sie da machen müssen?«

»Woher soll ich denn jetzt wissen, mein Sohn, was deine Geschwister auf dem Feld machen mußten? Das ist ja schon lange her. Ich sage, es ist schon dreißig Jahre her, du meinst, zwanzig Jahre. Sie könnten Mais gehackt haben. Weißt du immer noch, was Maishacken ist? Obwohl du so lange in Alemanien bist, hast du es nicht vergessen? Das finde ich gut. Sie könnten Weizen geerntet haben oder sie könnten anderes gemacht haben. Warum willst du unbedingt wissen, wann ich dich geboren habe? Reicht es dir denn nicht, daß du überhaupt gesund geboren worden bist? Mein Sohn, seit du in Alemanien bist, hast du dich gewaltig geändert. Es tut deiner Mutter nicht gut. Jeder soll auf seinem Boden bleiben, hat dein Vater immer gesagt. Wenn dein Vater noch leben würde, wüßte er, wann ich dich geboren habe. Dein Vater hat alles gewußt. Fragst du mal deine älteste Schwester, sie muß es wissen, sie ist drei Jahre in die Schule gegangen, obwohl ich es nicht gewollt habe. Was soll ein Mädchen in der Schule!«

Nach dem Sarma habe ich zu meiner Mutter gesagt, daß ich meine Schwester besuchen will. Sie hat zu mir zwar nichts gesagt, aber sie war irgendwie beleidigt.

Meine Schwester sieht genauso alt aus wie meine Mutter. Sie hat acht Kinder, für die ich jedes Jahr aus Deutschland verschiedene Geschenke mitbringe. Wie sie alle heißen, weiß ich nicht genau. Die einzige Sorge meiner Schwester, über die sie mit mir redet, war und ist meine Heirat.

»Setz dich hin«, hat meine Schwester gesagt. »Soll ich dir Tee machen? Das geht ganz schnell.«

»Nein, danke.«

»Du, sag mal, wann willst du heiraten? Es ist schon Zeit, daß du auch ans Heiraten denken mußt, sonst bekommst du kein Mädchen aus unserem Dorf, wenn du so alt wirst. Oder hast du schon ein deutsches Mädchen?«

»Deutsches Mädchen habe ich noch keines. Da du schon vom Alter redest – weißt du, wann ich geboren wurde?«

»Selbstverständlich weiß ich, wann du geboren wurdest. Das war so: Unsere Mutter ist mit mir immer sehr streng gewesen. Als ich mich mit deinem Schwager verlobt habe, ist sie noch schlimmer geworden. Sie hat mir verboten, ihn zu sehen, geschweige denn ihn zu treffen. Wo ich auch hingegangen bin, hat sie mich verfolgt. Wenn wir Feldarbeit gemacht haben, durfte ich nicht mal allein aufs Klo gehen. Du bist an dem Tag geboren, an dem ich deinen Schwager das erstemal getroffen habe. Das war ein schöner Tag. Ich bin sicher, daß du an dem Tag geboren worden bist, sonst hätte ich deinen Schwager nicht treffen können. Als Mutter von dir Geburtswehen bekommen hatte, habe ich mir gedacht, jetzt oder nie. Sie hat mich zur Hebamme Tante Fadik geschickt. Unterwegs habe ich zu deinem Schwager ein kleines Mädchen mit einer Nachricht geschickt, daß er in der Scheune vom Onkel Mustafa auf mich warten soll. Wie ich mit der Hebamme Tante Fadik zur Mutter zurückgekommen bin, habe ich für das Kind Wasser warm gemacht, damit es gewaschen wird. Dieses Kind bist du gewesen. Dann bin ich ganz leise aus der Wohnung rausgeschlichen. Mutter hat im Bett in der Küche gelegen. Ich bin gleich in die Scheune vom Onkel Mustafa gegangen, wo dein Schwager auf mich warten sollte. Ich habe deinem Schwager Taschentücher geschenkt, auf die ich Tauben, Rosen und Herzen gestickt habe. Er hat mir Keks, Lokum* und Feige überreicht. Ich weiß nicht, wie lange wir in der Scheune gewesen sind. Als ich wieder rausgegangen bin, hat es draußen in Strömen gegossen. Ich bin naß geworden wie eine Feldmaus. Wie ich nach Hause gekommen bin, habe ich Kindergeschrei gehört. Du hast ununterbrochen geschrien. Unsere Mutter hat nicht gemerkt, daß ich deinen Schwager schon getroffen habe.«

»Weißt du, in welcher Jahreszeit es gewesen ist?«

»Das weiß ich jetzt nicht. Wenn du das auch wissen willst, dann mußt du deinen Schwager fragen. Wenn er mal gute Laune hat, erzählt er von unserem ersten Treffen. Damals sei ich so rot geworden. Das ist nicht wahr. Er selbst hat mich nicht mal anschauen können. So schüchtern war er damals. Wenn du ihn fragen willst, mußt du dich gedulden. Er ist nämlich in der Stadt.«

Bis mein Schwager nach Hause kam, haben wir uns über alle möglichen Dinge unterhalten. Ob deutsche Mädchen so frei sind, daß sie, wenn sie einen Türken sehen, ihn gleich in die Arme nehmen, wollte meine Schwester von mir wissen. Als ich verneinte, war sie froh. Ich weiß nicht, warum.

Mein Schwager kennt nur eine einzige Aufgabe in seinem Leben, die er, das muß ich ehrlich zugeben, gewissenhaft erfüllt, nämlich: Kindermachen.

Nachdem mein Schwager und ich einen Wangenkuß getauscht hatten, habe ich ihm alles, was ich von meiner Schwester gehört habe, gesagt und dann habe ich ihn gefragt, ob er weiß, wann ich geboren wurde.

»Wann du geboren bist? Das weiß ich. Hundertprozentig. Warum ich so hundertprozentig sicher bin, willst du wissen, nicht wahr? Ich erzähle dir das lieber von vorne. Ich möchte aber vorher das klarstellen, was deine Schwester dir über unser erstes Treffen erzählt hat. Das war typisch Weiberquatsch. Was habe ich dir immer gesagt, mein lieber Schwager Sinasi. Du darfst dich nie auf die Weiber verlassen, auch wenn eine von ihnen deine eigene Mutter ist. Das stimmt nicht, daß es an dem Tag, an dem wir, deine Schwester und ich uns zum erstenmal getroffen haben, geregnet hat. Das stimmt auch nicht, daß wir uns das erstemal in der Scheune vom Onkel Mustafa getroffen

* Türkische Süßigkeit

haben. Das ist in der Scheune vom Hadschi Hasan gewesen. Ach, die Weiber, die Weiber, die erzählen nie die wahre Wahrheit, sondern sie erzählen nur ihre eigene weibliche Wahrheit.

Kommen wir zu deinem Geburtstag. Als ich mich mit deiner Schwester verlobt habe, warst du noch nicht auf der Welt. Du, Weib, wann habe ich mich mit dir verlobt? Haha, woher sollst du das wissen? Du kannst mir nicht mal das sagen, was du gestern abend gegessen hast. Ja, so sind die Frauen, lange Haare, aber kurzer Verstand. Also, wir haben uns im Oktober 1947 verlobt. Im März 1948 bin ich zum Militärdienst einberufen worden, du bist immer noch nicht auf der Welt gewesen. Ich bin im August 1949 zum Urlaub gekommen. Als ich in unsere Wohnung eingetreten bin, hat mein Vater zu mir gesagt: Mein Pascha, wenn du dich ein bißchen erholt hast, dann gehe bitte zu deinen Schwiegereltern. Deine Schwiegermutter hat vorgestern nochmals einen Jungen bekommen, sie liegt jetzt im Bett. Ich bin dann zu euch gegangen. Deine Mutter hat im Bett gelegen, sie hat ganz elend ausgesehen. Deine Schwester war natürlich nicht zu Hause, weil ich meinen Besuch vorangemeldet habe. Du warst noch nicht in der Wiege, so klein bist du gewesen. Damals hattest du dunkle Haare gehabt. Wann ich auf Urlaub gekommen bin? Ich kann es dir gleich sagen, Moment, warte bitte.«

Mein Schwager hat seinen Personalausweis geholt und nachgesehen, wann er auf Urlaub gekommen ist, dann hat er weiter erzählt:

»Da, schau, ich bin am 5. August von Edirne abgefahren, damals hat die Reise mit dem Zug zwei Tage gedauert, am 7. August bin ich im Dorf angekommen, wo mein Vater mir gesagt hat, daß meine Schwiegermutter vorgestern ein Kind bekommen hat. Dann mußt du am 5. August 1949 geboren sein, als ich gerade von Edirne abgefahren bin.«

Ich konnte mich aber, so gern ich auch wollte, nicht auf meinen Schwager verlassen, weil er mich mit meinem inzwischen verstorbenen Bruder verwechselt. An dem Tag, den mein Schwager mir als meinen Geburtstag angab, ist jemand von der Familie geboren, der Ibrahim geheißen hat und am 2. April 1950 gestorben ist. Auf seinem Grabstein steht geschrieben, wann er geboren und wann er gestorben ist.

Von da aus bin ich zu meinem Onkel, dem Bruder meines Vaters, gegangen. Für meinen Onkel habe ich Rasierklingen aus Deutschland mitgebracht, weil er einen harten Bart hat und sich nur mit den deutschen Rasierklingen rasieren kann. Die deutschen Rasierklingen seien sogar die besten der Welt, wie die deutschen Autos und Maschinen. Mein Onkel ist immer noch Vollblutpolitiker. Der war Mitglied in allen Parteien der Türkei. Die längste Zeit hat er es in der Demokratischen Partei ausgehalten, die jetzt verboten ist. Zu Hause hat er immer noch ein Bild von Menderes, der vom Militärgericht aufgehängt wurde. Jetzt aber wechseln die Parteien jedes Jahr.

»Na«, hat er gesagt, nachdem ich seine Hand geküßt habe, »sind die Sozialdemokraten, diese Stiefbrüder von den Kommunisten, immer noch an der Macht in Deutschland? Wie sind die Parteien denn in Deutschland, machen sie auch viel Krach um einen Stuhl?«

»Die Parteien in Deutschland sind ganz vernünftig, Onkel,« habe ich gesagt. »Die scheinen unter sich ausgemacht zu haben, daß jede alle zwanzig Jahre an die Macht kommt.«

»Das ist typisch deutsch. Die Deutschen planen alles voraus, und sie sind sehr diszipliniert. Ich habe mal gehört, nach dem Zweiten Weltkrieg hätte der deutsche Kanzler, der Alte, ich weiß jetzt momentan nicht, wie der geheißen hat, an das deutsche Volk appelliert, daß jede Familie täglich ein einziges Ei essen soll; die deutschen Familien hätten dann nicht mal versucht, ein zweites zu essen. Sind sie immer noch so diszipliniert?«

»Nein, Onkel, sie sind lascher geworden, seit die Türken in Deutschland arbeiten. Die Türken haben sie verdorben.«

»Schade um das deutsche Volk.«

»Onkel, ich habe eine wichtige Frage an dich. Ich möchte von dir wissen, wann ich geboren wurde. Kannst du mir das sagen?«

»Ich kann dir den genauen Tag nicht sagen, weil, als du geboren worden bist, weder in der Türkei noch in der Welt was wichtiges Politisches geschehen ist. Mein Sohn Selim ist am 1. Juni 1950 geboren, nachdem Menderes mit unserer legendären demokratischen Partei die ersten Wahlen gewonnen hat. Du bist zwei Jahre älter als Selim. Meine Tochter ist am 9. Mai 1945 geboren. Du weißt, was am 9. Mai 1945 passiert ist. Du bist drei Jahre jünger als sie. Dann, meine ich, mußt du 1948 geboren worden sein, sonst könntest du nicht zwei Jahre älter als er und drei Jahre jünger als sie sein. Warum willst du das denn jetzt wissen?«

»Onkel, du kennst ja die Deutschen, die wollen alles ganz

genau wissen. Ich habe zwar ein Geburtsdatum in meinem Reisepaß, aber soviel ich weiß, ist das auch nicht das richtige.«

»In der Tat. Als du in die Mittelschule gehen wolltest, warst du so jung, daß wir dich mit zwei Zeugen gerichtlich zwei Jahre älter machen mußten, damit du überhaupt in die Schule aufgenommen wurdest. Nach deinem ersten Personalausweis bist du 1947 geboren, aber das ist, wie gesagt, nicht das richtige Datum gewesen. Weißt du, was du machen mußt? Geh zu deinem Volksschullehrer, er muß es wissen. Ihn findest du bestimmt in dem Lehrerlokal.«

Am nächsten Tag bin ich in die Stadt gefahren. Wie mein Onkel gesagt hat, habe ich meinen ehemaligen Lehrer im Lehrerlokal gefunden. Wie alle türkischen Beamten, die nicht wissen, was sie machen sollen, wenn sie pensioniert sind, ist mein Lehrer inzwischen auch sehr gealtert. Auf der Nase hatte er zwei Brillen, um die Zeitung lesen zu können. Er hat mich nicht erkannt. Er ist schwerhörig geworden und hat mich vier oder fünf Mal gefragt, wer ich sei.

»Wer bist du? Sprich lauter.«

»Ich bin Sinasi, Sohn vom Sari Ahmet aus Kiyiköy.«

»Du brauchst doch nicht zu schreien. Ein bißchen lauter, habe ich gesagt. Also du bist Sinasi. Was machst du hier? Ich habe gehört, du arbeitest in Deutschland. Erzähle mir von Deutschland. Ist das wahr, daß die Türken in Deutschland viele Probleme haben?«

»Es ist nicht wahr. In Deutschland haben die Türken nur Geburtstagsprobleme.«

»So, so. Die türkischen Zeitungen müssen immer unwahre Dinge schreiben. Was ist mit den türkischen Kindern? Haben sie auch keine Probleme?«

»Jawohl, sie haben auch keine Probleme. Sie selbst haben immer gesagt, wer lernen will, der lernt auch.«

»Ja, du hast recht. Wer lernen will, der lernt auch.«

Damit es die anderen Anwesenden im Lokal nicht mitbekamen, habe ich ihn ganz leise nach meinem Geburtstag gefragt:

»Wissen Sie, wann ich Geburtstag habe?«

»Was weiß ich?« hat er geschrien. »Deinen Hochzeitstag? Du hast mich ja nicht eingeladen. Wieviele Kinder hast du schon?«

»Ich habe keine Kinder. Ich bin noch ledig. Ich wollte wissen, wann ich geboren wurde.«

Er schien meine Frage nicht verstanden zu haben.

»Ja, dann ist es noch leichter. Um deinen Hochzeitstag zu

wissen, mußt du zuerst heiraten. Ich möchte eingeladen werden, hast du mich verstanden, Sinasi? Sei nicht so frech wie die anderen aus Deutschland. Die sind alle frech, die in Deutschland arbeiten, weil sie viel Geld haben. Übrigens, wie lange ist es schon her, daß dein Vater gestorben ist? Der ist ein ganz netter Mensch gewesen. Sei wie dein Vater.«

Ich bin aufgestanden. Ich wollte weggehen. Mein ehemaliger Lehrer hat seinen Kopf nochmal langsam gehoben und mich eine Weile angesehen.

»Sinasi, was lernen die deutschen Kinder in der Schule als Nationalgeschichte über 1933–1945?«

»Davon habe ich keine Ahnung. Die deutschen Eltern selbst haben keine Ahnung, habe ich gehört.«

Er hat sich gewundert. »Waas«, hat er gesagt, »die Deutschen selbst haben keine Ahnung. So was.«

Meine letzte Hoffnung war der Dorfälteste. Wir nennen ihn Alaman Tüfegi, was auf deutsch Deutsches Gewehr heißt, weil er in Galizien mit den Deutschen gekämpft hat, worauf er immer noch stolz ist. Er ist uns gegenüber, die in Deutschland arbeiten, gesprächiger als anderen gegenüber. Er spricht mit uns immer noch mit seiner militärischen deutschen Sprache, die er in Galizien gelernt hat.

Vor meiner Abreise nach Deutschland hat er mich zu sich gerufen und mir gesagt: »Na, Sinasi, morgen fährst du nach Alemanien, kannst du Alemanisch?« Ich habe gesagt »Nein«. Er hat mir dann ein paar deutsche Wörter beigebracht: Strammstehen, Rührt euch, Jawohl. »Schade«, hat er gesagt, »daß ich nicht jung genug bin, sonst wäre ich auch ins Land gegangen, wo die tapfersten und anständigsten Männer der Welt leben.«

Ich fand ihn niedergekauert und an die Mauer seines Gartens gelehnt. Er war für sein Alter immer noch sehr rüstig.

»Sinasi, seit wann bist du wieder im Lande? Was ist mit meinen Freunden? Haben sie noch nicht vor, wieder einen Krieg zu führen?«

»Nein, Dede*, jetzt machen deine Freunde Geschäfte, die Juden machen Krieg.«

»Die Juden, die Juden. In letzter Zeit höre ich nur, wie tapfer die Juden sind. Die Juden könnten nie einen Krieg gewinnen, wenn die Araber ein bißchen mannhafter wären. Krieg können

* Opa

nur die Türken und meine Freunde, die Deutschen, führen. Die Deutschen sind genauso tapfer wie wir.«

Ich habe ihm deutsche Zigaretten mit Filter gegeben. Außer deutschen Zigaretten rauchte er nie Zigaretten mit Filter.

»Dede«, habe ich gesagt, »ich habe eine Bitte an dich. Ich muß unbedingt meinen Geburtstag wissen. Du kennst ja deine Freunde, sie wollen alles wissen. Jetzt habe ich mit ihnen Schwierigkeiten, weil ich nicht sagen kann, wann ich geboren worden bin.«

»Wie du sagst, sind die Deutschen meine besten Freunde. Die sind dankbare Menschen, sie vergessen nie etwas. Weil wir ihnen im Ersten Weltkrieg geholfen haben, helfen sie uns jetzt. Sie holen unsere Männer in ihr Vaterland, damit unsere Armen etwas verdienen. Was wollen sie von dir wissen? Deinen Geburtstag wollen sie wissen. Ich habe mal in Galizien einen deutschen Hauptmann gehabt, der hat von Graf geheißen. Er hat Haare gehabt wie Weizen, Augen wie das Meer. Er hat mich mal gefragt, wie ich heiße. Ich habe ihm im Strammstehen geantwortet, natürlich deutsch, ich heiße Ali, Herr Hauptmann. Dann wollte er wissen, wie alt ich bin. Ich habe ihm gesagt, das weiß ich nicht. Er hat mich gefragt, wann ich geboren bin. Ich habe ihm gesagt, ich bin geboren, Herr Hauptmann, eine Woche, nachdem unser schwarzer Ziegenbock vom Wolf im Wald gefressen worden ist. Der hat gelacht und gelacht, ich weiß nicht, warum. Jetzt wollen sie von dir wissen, wann du geboren worden bist? Heißt der, der dich fragt, zufällig von Graf?«

»Es fragt mich nicht nur ein Deutscher. Alle Deutschen, die ich kenne, wollen es wissen.«

»Alle? Ach, der Hauptmann von Graf. Der hat allen Deutschen beigebracht, daß sie die Türken nach ihren Geburtstagen fragen sollen. Sinasi, das wievielte Kind vom Sari Ahmet bist du gewesen?«

»Ich bin das siebte Kind.«

»Das ist jetzt schwer zu sagen. Komm, zuerst trinken wir Tee.«

Ich bin mit Alaman Tüfegi in seine Wohnung gegangen, um Tee zu trinken. Wir haben zusammen eine Kanne Tee ausgetrunken. Dann hat er nochmal gesprochen.

»Du bist an dem Tag geboren, an dem der Gouverneur der Stadt ins Dorf gekommen ist. Es war sehr heiß. Der damalige Dorfvorsteher hat mich beauftragt, dem berüchtigten Gouverneur Airan* anzubieten. Der Gouverneur hatte einen Kopf wie ein Spiegel. Er ist mit seinem ganzen Stab gekommen, die standen alle hinter ihm und nickten nur mit den Köpfen. Er selbst hat Airan lukluk getrunken und gesagt, es sei nicht gut gewesen, obwohl das Airan aus reiner Ziegenmilch gemacht worden ist. Ich habe mich granatenmäßig geärgert. So was hat mir noch nicht mal mein strenger deutscher Hauptmann gesagt. Dieser komische, miese Gouverneur hat uns alle von oben herab angesehen, als wären wir ganz merkwürdige Tiere, und ist, ohne eine Rede zu halten, weggegangen. Meine Freunde haben solche Idioten in ihrer Sprache Arschloch genannt. Ob sie solche Leute immer noch so nennen, weiß ich nicht. Der Gouverneur hat nicht mal Aufwiedersehen gesagt.

Als ich verärgert und müde nach Hause gekommen bin, hat meine Frau, Gott hab sie selig, zu mir gesagt: ›Du, Alter, die arme Frau vom Sari Ahmet hat wieder eine Geburt. Das ist ihr siebtes Kind. Ich muß sie mal besuchen.‹ Dann ist sie zu euch gegangen. Du bist dieses Kind gewesen.«

»Dede, ich brauche die Jahreszeit. Wann ist dieser miese Gouverneur ins Dorf gekommen?«

»Ich meine, der miese Gouverneur muß im Juli ins Dorf gekommen sein. Er könnte genauso gut im August gekommen sein. Im August ist es ja auch sehr heiß. Es wäre natürlich besser, wenn du ihn persönlich fragen könntest. Ob er noch lebt?«

Ich wollte mit dem Dorfältesten noch mehr darüber reden, aber er hatte keine Lust mehr, über meinen Geburtstag zu sprechen.

»Die Deutschen sind zwar meine Freunde, aber sie sind auch nur Menschen, sie sind ein bißchen verrückt. Sie wollen alles schriftlich haben. Nimm ihnen das nicht übel. Wenn du morgen nichts anderes zu tun hast, komm vorbei. Ich erzähle dir mehr über meinen Hauptmann von Graf. Er hat auch viele verrückte Seiten gehabt.«

Trotz all meiner Bemühungen ist es mir nicht gelungen herauszufinden, wann ich geboren wurde.

Ich bin wie alle Deutschen auch von einer Mutter geboren worden. Ich hoffe, daß das reicht, um integriert zu werden. Geburtstag zu feiern, wie die Deutschen das tun, habe ich sowieso keine Lust.

* Getränk aus Joghurt

Typisch deutsch?

Elisabeth Gonçalves

Meinem Deutschlehrer Reinhard Meisterfeld, bei dem ich gelernt habe, die deutsche Sprache zu lieben, und der mich ermutigt hat, nach Deutschland zu kommen.

Bekanntschaft

Haben Sie ein Auto?
Nein!
Hast du aber einen Führerschein?!
Nein!
Nimmst du die Pille?
Nein!
Hast aber einen Freund?!
Nein!
Willst du denn mit mir schlafen?!
Nein!
Ja, was willst du eigentlich in Deutschland?

In der U-Bahn

Vor mir
sitzt ein Hund
und bellt.
Daneben
sitzt ein Kind
und schreit
angstvoll . . .
Die Fahrgäste
empört
schauen den Unmenschen an,
der Hunde nicht versteht.

NELLY MA
Am Chinesischen Turm

–Der beißt net, der is ja no jung.
–Ach so, wie alt is er denn?
–Neun Monate, am 3. April geboren.
–Der meine is a bissel älter, am 20. wird er zwei Jahr alt, a Weibchen. Is der Ihre a Männchen?
–Ja. Bimbo, jetzt läßt sie aber in Ruh! Herrgott noch mal, es is wirklich a Kreiz! Sie glauben's net, den muß ma immer an der Leine haben!
–Is halt no jung . . .
–Und was für Scherereien der beim Fressi hat! Sie glauben's net, der rührt keine Büchse net an. Sind lauter gute Sachen, Fleisch, Leber, Pflanzeneiweiß, Mineralstoffe, Kalzium, Phosphor, alle Vitamine, von A bis Z, der Arzt sagt, wichtig für die Gesundheit. Nein, der frißt nur frisches Fleisch und Wurst, klein geschnitten, größer ißt er net. Nur Naturprodukte. Fabrikfleisch, das riecht er.
–Mei, is doch a lieber Kerl!
. . .

In meiner Heimat gibt es nicht viele Hunde, aber viele Kinder.

JUSUF NAOUM
Als Hund

Als Hund, der schon so lange in Westberlin lebt,
wäre ich schon längst eingebürgert, und ich brauchte nicht
jedes Jahr um meine Aufenthaltsgenehmigung zu betteln.

Als Hund, der schon so lange in Westberlin lebt,
hätte ich längst die Rechte eines deutschen Menschen, und
keiner wollte mich ausweisen.

Als Hund, der schon so lange in Westberlin lebt,
würden sie mich streicheln und freundlich begrüßen,
und keiner würde auf mich herabsehen.

Als Hund, der schon so lange in Westberlin lebt,
hätte ich nicht Lokalverbot, sondern ich wäre in den ersten
Häusern willkommen.

Als Hund, der schon so lange in Westberlin lebt,
hätte ich eine anständige, warme Wohnung und nicht eine
Hütte im Abrißhaus.

Als Hund, der schon so lange in Westberlin lebt,
brauchte ich mich nicht zu schämen, viele Kinder zu haben.

Als Hund, der schon so lange in Westberlin lebt,
würde mich keiner Kanake nennen oder Kameltreiber.

Ja, wenn ich ein Hund wäre, und ich würde schon so lange in
Westberlin leben, ja, dann trüge ich ein schönes Band am Hals
und könnte hinscheißen, wohin es mir paßt.

LEVENT AKTOPRAK
Entwicklung

Hände lernen
das deutsche A B C

Lippen studieren
deutsche Geschichte

Und heute
an die Hauswand gekritzelt
lese ich:

»Türken raus«

Meine Abiturfrage hieß:
»Was
waren
die Ursachen des deutschen Faschismus?«

RICHARD ALAN KORB
Sind in Deutschland wirklich alle Dächer rot?

Leise Musik von draußen schlich unter der Tür durch ins Zimmer. Langsam, aber sicher fand sie die Ohren des schlafenden Jungen und zog weiter in sein Wesen hinein. Wie ein kleiner *Sprung* wirkte diese musikalische Unterbrechung der Stille auf das von der aufgehenden Sonne immer heller werdende Zimmer.

Der Junge bewegte sich, ein aufwachender *Schlaftänzer*. Er streckte die Beine nach unten, erst das eine, dann das andere. Er schien sich mit dem Gesicht und dem Kopf immer tiefer ins Kissen bohren zu wollen. Aber die Musik hörte nicht auf. Mit seinem linken Arm kreiste der Junge über dem oberen Teil des Betts, bis die Hand zwischen dem Kissen und seinem noch sehr müden Kopf über das Gesicht wischte, als ob er hoffte, entweder die Musik oder den Schlaf wegschaffen zu können.

Nun aber gingen seine Augen auf. Die unbekannte Musik, die ihn aufgeweckt hatte, füllte das Zimmer, das der junge Mann zunächst etwas erschrocken, aber dann nach und nach mit steigender Neugierde besichtigte.

Eine kurze Zeit konnte er überhaupt nicht fassen, wo er war. Er schaute gerade über sich nach oben, wo die weiße Decke des Zimmers mit einer kalten, nicht angeschalteten Beleuchtung ihn grüßte.

Seine rasche, fast angstvolle Besichtigung der zwei Wände, an denen das Bett sich fand, half ihm ebensowenig, zurück zum Bewußtsein zu kommen. Etwas langsamer schaute er die ihm unbekannten Bilder und Bücher in dem Wandschrank gegenüber dem Bett an. »Das Zimmer ist schön«, dachte er und wurde ruhiger. »Ich muß sehr lange geschlafen haben.« Dann schien ihm durch das offene Fenster die Sonne in die Augen.

Der Sonnenaufgang versprach einen herrlichen Herbsttag. Der Himmel hatte eine warme, glänzende Farbe von hellem Blau. Gegen ihn sah der junge Mann die vielen roten Dächer der benachbarten Häuser. Er wurde von einem Lächeln überwunden. Er wußte plötzlich genau, wo er war.

»Ich bin in Deutschland«, dachte er, und nun lachte er laut, »wo alle Dächer rot sind! In Deutschland, in Deutschland, in Deutschland«, wiederholte er immer noch lachend, der Rhythmus aber nicht länger von der Musik herbestimmt, sondern völlig in ihm selbst. Seine Gedanken gelangten an die Schwelle eines klaren Bewußtseins. Sein Wesen wollte vom Land des Schlafens zurückkommen.

Es war sein erster Tag in Deutschland, und obwohl es noch sehr früh war, hatte er tatsächlich lange geschlafen. Er fühlte sich jetzt erholt nach dem langen Schlaf, den er sehr nötig hatte nach seiner anstrengenden Reise aus seiner Heimat nach Deutschland, wo er hergekommen war mit all den Vorstellungen, die er jetzt jahrelang zu Hause über Deutschland entwickelt hatte. Vor allem aber wollte er die Heimat seiner Vorväter wiederfinden.

»Wie lange ist es schon her, daß meine Urgroßeltern aus Deutschland nach Amerika auswanderten?« fragte er sich, jetzt die Wärme der Sonne völlig genießend. »Schon vor der Jahrhundertwende.«

Kleinbürger, Geschäftsleute, Handwerker, Männer, Frauen, Väter, Mütter, Kinder: alle deutschsprechend, sie wanderten aus der alten Welt des Kaisers und Bismarcks nach der neuen Welt. Aber sobald der Erste Weltkrieg vorbei war, so war auch unter ihnen jedes Zeichen von Stolz auf ihre deutsche Herkunft verloren. Ihre Sprache wurde »amerikanisch«. Ihre Kinder – die Väter und Mütter meines Vaters und meiner Mutter – wurden zu »Amerikanern«. Deutschland lag irgendwo in der Vergangenheit, eher vergessen als verehrt. Schon bei meinen Großeltern blieb kein einziges Mal das Geringste von einem deutschen Akzent in ihrem Englisch, und über Deutschland habe ich von ihnen nie ein Wort gehört. Hätten wir keinen deutschen Nachnamen, so hätte ich vielleicht nie gewußt, daß unsere Familie ursprünglich deutsch war.

Aber ich und meine Gedanken über das alles kamen erst viel später hinzu.

In der Zwischenzeit kam noch eine ganze Generation, die meines Vaters, die, die gegen Hitler und den Nationalsozialismus in den dreißiger und vierziger Jahren kämpften. Da wurde das Heimatland unserer Familie zum zweiten Mal innerhalb von dreißig Jahren zum Feindesland, die roten Dächer wurden zertrümmert, und der blaue Himmel mit Haß und Mißverständnis verraucht.

Als ich Kind war, hießen die Deutschen bei uns »Krauts«. Vati hatte aus dem Krieg eine Winterfeldmütze eines deutschen Soldaten. Diese Mütze entdeckte ich eines Tages in einer Plastiktüte unter alten Decken in einem versteckten Schrank in Vatis Zimmer. Nachdem ich geschworen hatte, daß der Mütze nichts passieren würde, durfte ich sie in die Schule bringen, um sie bei »Show and Tell« den anderen kleinen Kindern zu zeigen und zu erklären. Ich habe wohl das Wort »Kraut« dabei benutzt. Wir Kinder wußten alle, daß die Nazis etwas ganz Schlimmes gewesen waren und daß ihr Abzeichen etwas ganz Böses (und deswegen für uns freilich etwas ganz Faszinierendes) bedeutete. Keiner von uns wußte aber Bescheid, ob es so: ⚡ oder so: ⅃Ɛ oder so: ⅄ ging, als wir es heimlich auf unsere Schulheftchen pinselten. Dies war natürlich verboten, aber wieder wußte keiner Bescheid, warum.

Was jedes Schulkind aus seinem Lesebuch aber ganz genau wußte, war, daß alle Dächer in Deutschland rot sind.

Als ich während der heißen Jahre des »Kalten Krieges« älter wurde, lernte ich Deutschland durch Berichte aus ›Life Magazine‹ kennen. Auf einmal hieß es, daß viel mehr rot wäre als nur die Dächer. Von der Mauer hörten wir viel, aber das war alles »drüben«, etwas, worüber man las, aber wovor keiner von uns fliehen mußte. Damals sangen und tanzten wir zu einem kitschigen Schlager im Radio, der im heiteren Beat die Hoffnungen eines getrennten Liebespaars auszudrücken versuchte . . .

Als der junge Mann jetzt auch wirklich die Wörter dieses alten Liedes zu singen begann: »West of the wall, that soon will fall, and you'll come home . . .«, wurde ihm erst wieder die Musik im nächsten Zimmer bewußt.

Diese Musik hatte sich in der Zwischenzeit geändert. Die früheren sanften Melodien, die den Jungen geweckt hatten, wurden nun von lauterer, stärkerer Musik ersetzt. Er hörte draußen die Stimme einer seiner Lieblingssängerinnen, die gerade eins ihrer typischen Lieder sang, das eine Mischung von der Liebe und der Politik darstellte. Er konnte dabei an den Frühstücksgeräuschen hören, daß seine Gastgeberin alles für ihn vorbereitete.

»Schön, daß ich hier bin«, meinte er, als ein warmes Gefühl von Sicherheit sich wie ein frisches Federbett um ihn wickelte. Es kam ihm überhaupt nicht komisch vor, daß seine Gedanken auf deutsch flossen.

»Meine Sehnsucht nach Deutschland wurde nie sehr gefördert, und da habe ich mir sehr viel Mühe geben müssen, um es endlich zu schaffen, hierher zu kommen. Meine Familie hatte schon seit je ihre deutsche Herkunft nicht fröhlich anerkannt. Ich bin das erste Mitglied unserer Familie, das innerhalb von 80 Jahren überhaupt wieder ein Gespräch in unserer Muttersprache führen kann. Das lernte ich nicht in der Schule, da es damals keinen Deutschunterricht bei uns gab. Mir wurde empfohlen, an der Universität Wirtschaftswissenschaft zu studieren, aber ich neigte immer mehr zu einem Deutsch-Studium. Dadurch schuf ich mir anstatt eines bestimmten jährlichen Einkommens, eines Hauses, zweier Autos und eines Farbfernsehers meine eigene Welt innerhalb des Landes, wo ich geboren wurde. Wie oft habe ich mit Faust gedacht: ›Zwei Seelen wohnen, ach! in meiner Brust,‹ – eine amerikanische, aber auch eine deutsche. Mein ›American Dream‹ war fast immer, nach Deutschland zu kommen, und mein deutscher Traum, naja, der fängt erst jetzt an.«

MARK CHAIN
Die schwierige deutsche S(pr)ache
(Auszug)

Ich bin ja untergebrochen worden,
mehrmals täglich bebessert worden,
verleidigt, beteidigt und gescheinigt worden,
beschuldet, verduldet und gestummelt worden,
verdutzt, besietzt und geihnt worden,
und jetzt für ein und alle mal
veriche ich dich, vereuche ich mich
und verunse ich Sie . . .
sehe ich Grimassen, die ihr macht? –
schon gut – wir werden uns noch neu besprachen!

Luísa Hölzl
Bilanz zu fünf Jahren Deutschland – Versuchstexte

Ankunft

Zu zweit nach Deutschland. Zwei gutbürgerliche Mädchen, südeuropäisch gekleidet. Klassisch, Chanel für Achtzehnjährige. Über Stuttgart nach München. Bis Stuttgart noch das Gefühl, zu Hause zu sein, natürlich nicht bei sich zu Hause in der schicken Mietwohnung, eher in dem Arbeiterviertel am Fluß. Wir freuen uns, als wir im Flugzeug nach München sitzen. Das Volk, das so laut redet und nach so viel Brot verlangt, ist auf zwei Familien zusammengeschrumpft. Dennoch zehn Leute.

Zwanzig Mark für ein Taxi schüchtern uns ein.

Einleben im katholischen Studentinnenwohnheim. Wir lachen und kichern. Ist alles so komisch und anders. Kein Bidet im Bad. Für das Duschen kauft man eine Duschmünze, acht Minuten fließt das Wasser, für jede also vier Minuten. Die deutschen Mädchen schmeißen das Super-Markt-Fleisch direkt in die Pfanne. Am Abend essen sie Wurst und Brot. Ich kann nicht kochen. Zu Hause durfte ich Kuchen backen am Samstag nachmittag. Meine Freundin kocht gerne. Manchmal läuft alles schief. Es ist lustig. Auf der Leopoldstraße verstehen wir die Obstfrau nicht. Unser Geld bewahrt die Deutsche Bank: sicher und international anerkannt. Ich fahre mit der U-Bahn auf den Marienplatz. Laufe bis zur Ettstraße. Der Beamte liest meine Papiere durch. Abiturientin einer Auslandsschule, Stipendiatin einer renommierten Stiftung. Gast in Deutschland, Gast in München – er lächelt, stellt harmlose Fragen in einem freundlichen Ton. Zwischendurch brüllt er die nicht-deutschsprechende Jugoslawin an. Ich fahre in der U-Bahn, stolz über die für ein Jahr mir ausgestellte Aufenthaltserlaubnis. Und etwas bestürzt über den netten Polizeibeamten.

Kathreinsfest

Bälle in Studentenverbindungen. Wir beobachten alle Plakate im Heim und in der Mensa und in der Universität. Wir gehen auf Freundeskreissuche – auf Männersuche? Staunen nach dem ersten Abend. Bin ich hübscher geworden oder sind deutsche Jungs weniger anspruchsvoll oder sind deutsche Mädchen wirklich so häßlich? Einmal tanzen. Zweimal. Dreimal. Den ganzen Abend. Unter großen blonden Mädchen wirke ich geradezu exotisch. Klein, keinen Meter sechzig. Braune Haare, braune Augen. Sonst nichts. Eine große Nase. Schminken kann ich mich nicht. Zwischen den Tanzabenden einige Anrufe. Einladungen. Manchmal sage ich ja, manchmal nein. Ich schreibe zweimal in der Woche nach Hause. Und im Tagebuch sehne ich mich ganz und gar nach meinem Freund aus der Heimat.

In einer Novembernacht fällt der erste Schnee meines Lebens. Die ersten Gehversuche auf glatten Flächen. Die Angst vor dem Ausrutschen bleibt für immer. Im Keller ist es warm, und die Leute sind nett. Ich erzähle meine Geschichte: Deutsch gelernt schon im Kindergarten, deutsches Abitur in der Auslandsschule, zum Studium hierher gekommen. Es gefällt mir sehr gut. Danke. Das Fest erinnert mich an meine ersten Parties – ich sitze den ganzen Abend, meine Geschichte hört sich zwar jeder an, aber alle ziehen danach weg. Es handelt sich auch um eine Studentenverbindung, die jungen Männer tanzen nicht mit einem unbekannten Mädchen. Und dann gleich Ausländerin.

Deflorierung

Erst nach Mitternacht der erste Tanz mit einem schwitzenden El-Greco Gesicht. Der Tanz dauert stundenlang, erstreckt sich zu Traumnächten und träumenden Tagen. Zu einer phantastischen Reise ins Unbekannte. Die ersten Ferien zu Hause werden von Sehnsucht nach München geprägt. Das Versprechen, ein braves Mädchen zu bleiben, erweist sich danach als leer. Wenn man einen deutschen Freund hat, dann muß man auch eine deutsche Freundschaft erleben. Das prickelnde Gefühl, etwas Verbotenes zu machen, bringt schöne Nächte im Schlummerlicht eines studentischen Schlauchzimmers und ein schweres Herz und allerlei düstere Gedanken während trockener Grammatikstunden an der Münchner Universität. Am Sonntagabend nach der Messe diskutieren wir – mein deutscher Freund und ich – moralische Probleme. Die Moralstunde endet fast immer mit Sex.

Nach ein paar Monaten habe ich mich an die Situation gewöhnt. So wie ich in Deutschland zum Abendessen Wurst und Käse esse statt Suppe, Fisch oder Fleisch, Nachspeise und Kaffee, so schlafe ich jetzt mit dem Freund, statt mit ihm in den Ecken zu schmusen. Wobei die zweite Umgewöhnung Spaß macht. Auch macht es Todesängste bis zu Schweißausbrüchen, wenn ich in den Ferien zu Hause ankomme.

Der Mai, der Mai

Jetzt kommt der Mai, der Mai, der Mai, der liiiiebe Mai, er kommt mit Heil und Segen, das war mein Lied im deutschen Kindergarten. Ich habe Geburtstag im Mai, Mai verbinde ich mit mir selbst und mit dem alljährlichen neuen Sommerkleid. In München sieht es nach Herbst aus, der Wind ist frisch, ich schleppe dreckige Winterstiefel an den Füßen. Wir feiern Geburtstag, mit Freunden und mit einer ideenreichen Liebesnacht. Eine große Sehnsucht nach Zuhause, nach dem Kuchen voller Kerzen, jedes Jahr eine hinzu, ich habe geblasen, und alle klatschten danach. An meinem ersten deutschen Geburtstag gehen wir fein essen, danach will ich alleine sein, und ich friere. Auch im Bett friere ich, zwei Wochen lang. Depressionen haben bloß andere. Man ist entweder gesund oder krank. Ich habe Grippe und liege im Bett ohne Fieberthermometer und ohne Hustensaft. Siebenmal läutet das Telefon. Es ist für mich. Am nächsten Morgen soll mein Freund mich holen, wir fahren in die Sonne. Ich räume mein Bett auf und packe Sommersachen zusammen. Drei Stunden von dieser deutschen Stadt liegt ein Abbild meiner Sehnsucht. Ich muß daran denken, wenn es mir wieder einmal zu frostig wird.

Die Braut

Als deutsche Braut verbringe ich Wochenende nach Wochenende bei meiner Schwiegerfamilie und werde in die deutsche Gemütlichkeit eingeführt. Um acht werden alle Jalousien hochgezogen, besonders schwungvoll, ist ja Sonntag. Um neun gibt es Frühstück. Mit Kuchen. Danach Sodbrennen und Hungergefühl. Eine deutsche Hausfrau kocht unter der Woche billig für die Kinder, am Sonntag für den Ehemann besonders fein. Sie steht zwei Stunden davor in der Küche, eine Stunde danach. Sie freut sich, daß ihr Mann wenigstens einmal in der Woche besser ißt als in der Kantine. Ein Sonntagsspaziergang ins Graue. Man trifft sich. Man redet vom Wetter. Die Verlobte plaudert mit der Mutter und mit der Schwester. Der Verlobte plaudert mit dem Vater. Um halb vier gibt es Kaffee, in der Weihnachtszeit mit Plätzchen, sonst mit Torte. Alles selbstgebacken. Es kommt Besuch, und die ausländische Braut wird beschaut. Scheinen alle zufrieden zu sein. Am Abend gibt es Brotzeit und Weißbier. Vor dem Fernseher öffnet der Vater einen Frankenwein. Stößt an und auf. Immer noch viel zu süß. Der Fernseher läuft vom Ersten ins Dritte, vom Dritten ins Zweite. Nach Tagesschau, drei Filmen und Sportschau ruhen alle. Ausländische Verlobte mit deutschem Verlobten ruhen miteinander. Wenigstens das.

Bergsteigen macht Spaß

Ich gehe zur Skigymnastik. Das ist gesund, gibt Kondition, macht uns auf der Piste leistungsfähig. Ich kann auf den Bergen schon herumkraxeln. Ich habe einen Zweitausender bereits erklommen. Was für eine Leistung. Für eine Südeuropäerin, die drei Monate im Jahr am Strand faulenzt und in den restlichen Monaten selbst am Sonntag im Bett langschläft und Sonnenschein verpaßt. Ich werde von der deutschen Familie als Bergwanderin anerkannt. Und seitdem meine winzigen Skier inmitten der langen Skier echter deutscher Skifahrer im Keller meist ungepflegt und ungewachst herumliegen, werde ich sogar grenzenlos bewundert. Man hätte es ja nicht gedacht. Also die Leistung bringe ich. Die Berge kenne ich inzwischen. Sogar einmischen kann ich mich schon. Ob das sowieso-Joch oder die irgendwas-Spitze nördlich oder südwestlich vom jeweiligen

Standpunkt liegt. Es ist schön, auf die bayerischen Berge gehen zu dürfen. Ich habe Gelegenheit, die Bodenart gründlich zu studieren. Nur bei sehr trockenem Boden und nicht steilen Passagen traue ich mich, ein paarmal auf die Landschaft zu blicken. Sie hat die Grundtöne des Meeres: Blautöne, Weißtöne. Wolkenballungen. Schon rufen die mich, ich soll einen konstanten Rhythmus beibehalten, außerdem drängeln sich hinter mir weitere Bergfans. Bei Geröll und Schlamm klebt mich die Angst an den Boden. Ich taste mich hoch oder herunter und immer mit der Verlagerung in die falsche Richtung. Bei der Brotzeit verschwindet jeglicher Genuß unter Muskelkater und einer Sehnsucht nach meinem Bett.

Frau Meyer, geb. . . .

Ordnung muß sein. Das habe ich schon bei meiner Mutter gelernt. Sie war schon immer sehr ordentlich und für Disziplin. Deswegen schickte sie mich in die deutsche Schule, nicht in eine von diesen Klosterschulen. Meine Mutter ist immer noch sehr ordentlich. Sie heftet meine fünfjährige Geschichte in Deutschland chronologisch ein. Das ist gut, weil auch ich nachschauen kann. Obwohl – vieles, besser: das Wichtigste, werde ich wohl zwischen den Zeilen lesen müssen. Vielleicht liest meine Mutter meine Briefe auch so, sie ist ja froh, daß ich in normalbürgerlichen Verhältnissen lebe. Ordnung muß sein. Während der Studienzeit schreibe ich pro Semester eine Seminararbeit. Das ist gut so. Ich habe ein Ziel vor Augen und bin beschäftigt. Jetzt ist es anders. Die Aufenthaltserlaubnis bekomme ich nicht des Studiums wegen, sondern weil ich eine Hausfrau bin und zwar eine Hausfrau mit einem deutschen Namen, also fast eine deutsche Hausfrau. Unbefristet steht auf dem Paß. Ich bin unbefristet eine deutsche Hausfrau. Wenn ich sterbe, bin ich eine tote deutsche Hausfrau. Mein ganzer Name wäre ja viel zu lang auf dem Grabstein. Außerdem die Gravierkosten. Ich bin jetzt eine deutsche Hausfrau. Grüß Gott, Frau Meyer. Danke sehr, Frau Meyer. Aufwiedersehn, Frau Meyer. Dennoch bleibt ein Rest Exotik hängen. Freunde kommen, um was anderes, was Ungewöhnliches zu essen. Ab und zu stinkt es aus den Fenstern nach fritiertem Zeug, und die Frau Nachbarin rümpft die Nase. An der Kleidung merkt man ein gewisses südeuropäisches Etwas.

Und was für süße Sachen der Kleine trägt, bestimmt nicht von hier und ach! so billig. Wie eine Frau Meyer decke ich jeden Morgen einen gemütlichen Frühstückstisch – als Kind habe ich meinen Milchkaffee heruntergewürgt. Fast jeden Abend gibt es Brotzeit. Jeden Frühling mache ich Frühlingsputz. Das ist ordentlich. Wenn einmal am Sonntag der Himmel uns blau vorkommt, dann müssen alle aus dem Bett hüpfen, schnell frühstücken und hinaus. Wenn die Sonne kommt, dann stört sie meine Bettruhe. Für eine Frau Meyer bin ich eine Langschläferin, am Sonntag schlafe ich bis halb zehn. Am Nachmittag kommen Freunde, und wir trinken Kaffee und essen Kuchen, selbstgebacken. Manchmal von der Konditorei. Montags putzt Frau Meyer die Wohnung, bis alles schön und sauber aussieht. Frau Meyer sitzt am Spielplatz bei den deutschen Müttern. Sie diskutiert Erziehungsprobleme. Auch sie will ihrem Kind deutsche Tugenden einflößen: Pflichtbewußtsein, Leistungsfähigkeit, Durchsetzungsvermögen, Pünktlichkeit. Oh wie gut, daß niemand weiß, daß ich Rumpelstilzchen heiß'.

Deutsche, geborene Ausländerin

Wenn ich in der Heimat Urlaub mache, muß ich vorher beim Aldi große Mengen billiger Schokolade kaufen. Da unten freuen sich alle. Unsere Putzfrau bedankt sich immer mit feuchten Augen. Ich weiß darauf keinen Trost. Dann kommentiert sie, daß ich jedesmal deutscher aussehe. Die Freunde meiner Eltern sind auch dieser Meinung, auch meine ehemaligen Freunde. Ich wehre mich dagegen. Wenn ich von Deutschland erzähle, dann nur Positives. Da hören die Leute andächtig zu und versuchen, sich dieses fremde Land vorzustellen. Wenn ich die Sahne da unten esse, dann sage ich: deutsche Sahne schmeckt viel besser. Wenn meine Mutter erst nach vier Stunden Zahnarzt heimkommt, dann sage ich: in Deutschland muß ich beim Arzt nicht warten. Wenn ich den Aufwand des Abendessens beobachte, dann sage ich: deutsche Brotzeit ist viel praktischer. Wenn ich am Urlaubsort einkaufen gehe, dann sage ich: in Deutschland geht alles schneller, die Leute verlieren keine Zeit mit dem Plappern. In Deutschland ist alles besser. Da hast du aber Glück gehabt. Hier in dem Land könntest du dir nicht so viel Schönes kaufen. Hättest dir nicht so schnell ein eigenes Haus angeschafft. Du hast Glück gehabt, einen deutschen Mann zu finden. Mit einem Mann aus deiner Heimat würdest du nicht vorwärtskommen, die verdienen ja alle schlecht, und die Mieten sind zu hoch. In den Ferien kannst du deine Heimat besuchen, Urlaub machen, deine D-Mark verschwenden. Umgekehrt wäre das nicht möglich, wer kann sich denn das schon leisten, eine Europareise bis nach Deutschland? Ich lächele, ich werde beneidet und bewundert – ja, was für ein Glück daß ich in Deutschland leben darf.

Fünfmal deutscher Alltag – Italienische Schüler und Schülerinnen berichten:

GIANFRANCO CISTERNINO

Am 22. Juli 1973, vor 7 Jahren, bin ich nach Deutschland gekommen. Das Land war mir fremd, und außerdem konnte ich die deutsche Sprache nicht. Mein Vater meldete mich in der Grundschule an. Ich mußte noch einmal das 2. Schuljahr machen, weil ich kein Deutsch konnte, aber das war mir egal. Mir gefiel es ja sehr hier. Es war sehr schwer, Freunde zu finden, weil ich mich nicht mit ihnen verständigen konnte. Trotzdem haben sich ein paar Jungen um mich gekümmert, und sie haben mit mir gespielt. Aber nicht immer war es so schön. Es gab auch viele Jungen und Mädchen, die mich nicht akzeptierten und die mich zu mehreren verprügelten. Sie benutzten sogar sehr schlimme Wörter, wie zum Beispiel: »Stinkender Spaghettifresser!« Ich lernte sehr schnell die Grundsätze der deutschen Sprache und konnte mich schon etwas in der Schule am Unterricht beteiligen. Ich verkehrte viel mit deutschen Kindern, was mir von großem Nutzen war. In der Schule ging alles gut, ich lernte sehr schnell. Schon im 3. Schuljahr hatte ich das beste Zeugnis als einziger Ausländer in der Klasse. Ich fand Deutschland einfach toll. Eines von meinen Problemen war, daß es Deutsche gab, die keine Ausländer mochten, und sie behandelten mich und andere wie den letzten Dreck von dieser Erde. Es war schon schlimm. Manchmal sehnte ich mich nach Italien zurück, ich wollte gern zu meinen alten Freunden zurück. Aber das war nicht so schlimm. Im Sommer fuhren wie immer nach Italien und verbrachten dort unseren Urlaub. Jetzt kann ich sehr gut Deutsch sprechen. Wenn es um Formulare und Briefe geht, kommen meine Verwandten und Bekannten zu mir. Ich habe meine Schulpflicht in der Hauptschule beendet und besuche jetzt eine private Schule in Köln-Mülheim. Es ist eine italienische Schule. Jeden Morgen muß ich um 5.00 Uhr aufstehen, manchmal auch früher. Um 6.00 Uhr fahre ich mit dem Zug nach Köln-Mülheim. Die Fahrt dauert ungefähr 1½ Stunden. In dieser Zeit kann ich noch ein bißchen den Lehrstoff lernen. Wir haben jeden Tag 6 Stunden Schule, auch samstags. Um 13.15 Uhr fahre ich mit dem Zug zurück. Ungefähr gegen 16.00

Uhr bin ich zu Hause. Ich habe wenig Freizeit und muß viel studieren. Nächstes Jahr möchten wir aber nach Italien fahren und dort für immer bleiben.

MICHELE FRAGNELLI

Ich bin in Deutschland geboren und habe jetzt keinerlei Probleme mit der deutschen Sprache. Ich habe nur oft Probleme mit Menschen gehabt, die mich und andere Ausländer haßten. So kam es, daß ich mich oft durchschlagen mußte, um mein Recht zu bekommen. Ich lebe nicht gerne in Deutschland. Ich würde lieber nach Italien fahren und dort den Rest meines Lebens verbringen. Ich mag Deutschland nicht und auch nicht die Deutschen, weil die Deutschen mich hassen. Vor allem ältere Leute, die noch diese längst lästige Nazimentalität haben. Wie ich schon sagte, mußte ich mich oft durchschlagen, aber ich bin sicher nicht der einzige, viele andere erleben dasselbe, von Tag zu Tag, wo man auch hinsieht. Man nennt so etwas Xenophobie: die Angst vor den Ausländern, und der einzige Weg für sie ist der, die Ausländer zu schlagen. Ich habe so etwas oft erlebt, so oft, daß mich alles hier so langweilt. Die Deutschen sollten versuchen, mit den Ausländern zu diskutieren und die Probleme zusammen zu bewältigen. Nicht mit der Gewalt, sondern mit dem Verstand und der Nächstenliebe. Schöne Worte, nur – die Realität sieht ganz anders aus, leider. Ich glaube auch nicht, daß die Situation sich ändern wird, im Gegenteil, sie wird schlimmer. Ich habe keine deutschen Freunde, nur Italiener. Ich habe in Deutschland in sechzehn Jahren viel erlebt, schöne Erlebnisse wie auch weniger schöne. Das einzige, was mich und meine Eltern hier hält, sind die anderen Ausländer und vor allem die anderen Italiener. Weil ich mich umsehe und sehe, daß andere Jungen die gleichen Probleme wie ich haben, darum gebe ich nicht auf. Mein Aufenthalt hier ist relativ. Ich kann in ein paar Jahren für immer nach Italien fahren oder in ein paar Monaten oder nie. Ich werde aber bestimmt eines Tages in meine Heimat fahren.

Am 15. 11. 65 in Cosenza/Calabrien geboren, kam ich als Zehnjähriger nach Deutschland, nachdem ich in einem Internat in
Florenz die Elementarschule absolviert hatte. Meine Eltern, die
schon über zwanzig Jahre in Köln leben und arbeiten, wollten
aber nun meine Erziehung selbst übernehmen und holten mich
im Sommer des Jahres 1975 zu sich.

In der deutschen Schule hatte ich Glück; denn meine Klassen-
lehrerin, die selbst fünf Jahre in Mailand unterrichtet hatte,
führte mich allmählich in die deutsche Sprache ein und half mir
über die ersten schwierigen Hürden hinweg. Dadurch konnte
ich mich bald mit meinen Mitschülern verständigen und wurde
langsam in die Klassengemeinschaft integriert. Im Laufe der
Zeit entwickelten sich sogar Freundschaften zwischen meinen
deutschen Klassenkameraden und -kameradinnen und mir.
Zwar gab es hin und wieder Beschimpfungen, wie zum Beispiel
»du dreckiger Ausländer«. Wahrheitshalber muß ich aber gestehen, daß das meistens die Antwort auf mein ungestümes
Verhalten war; denn oft genug fiel es mir schwer, mein südita-
lienisches Temperament zu zügeln.

Köln als Großstadt hat mich von Anfang an mächtig beein-
druckt. Die berühmte gotische Kathedrale, der gewaltige
Rheinstrom mit seinen Brücken, die riesigen Kaufhäuser und
die belebten Straßen fanden meine besondere Bewunderung. So
etwas war ich nicht von meiner Heimat gewohnt. Inzwischen
hat aber die Metropole am Rhein von ihrer Anziehungskraft für
mich verloren. Mit zunehmendem Alter lernte ich meine Heimat mehr und mehr schätzen. Sie hat ihre eigene Atmosphäre,
die ich nicht mit Worten beschreiben kann. Heute fühle ich
sogar manchmal eine starke Sehnsucht nach den Menschen
dort, nach dem beständigen Klima, nach Sonne und Meer, besonders an trüben, regnerischen Tagen, die hier leider sehr häufig sind.

Für viele Ausländer entstehen auf dem Wohnungs- und auf
dem Arbeitsmarkt große Probleme. Auch auf diesen Gebieten
hat unsere Familie Glück gehabt. Wir fanden sofort eine geräu-
mige, bequeme Wohnung mit zufriedenstellenden sanitären
und elektrischen Anlagen, was ja nicht überall selbstverständlich ist, uns aber das Leben hier erleichtert.

Wenn ich mich heute frage, wo ich lieber leben und arbeiten
möchte, dann fällt mir die Antwort darauf sehr schwer.

Jeder Mensch liebt sein Vaterland mehr als die Fremde. Obwohl man mir manchmal mit Vorurteilen begegnet, ziehe ich zur Zeit das Leben in Deutschland vor. Zunächst bietet es einfach mehr Abwechslung. Da kann ich zum Beispiel nach Belieben an den verschiedensten Sportarten teilnehmen, ich könnte Konzerte, Theater, Filme und Discotheken besuchen, und bei Einkäufen bietet sich uns eine fast grenzenlose Auswahl. Was die Bildungs- und Arbeitsmöglichkeiten betrifft, gibt es für einen fleißigen und strebsamen Ausländer aus einem EG-Land dank des gemeinsamen Arbeits- und Bildungsprogramms genügend Chancen, sich eine gesicherte Zukunft aufzubauen. So habe ich mir als Ziel gesetzt, so lange in Deutschland zu bleiben, bis ich mir eine solide Grundlage für meine Zukunft geschaffen habe.

Daß ich meine Heimat trotz all dieser Vorzüge noch sehr liebe, erkenne ich daran, daß ich mich immer sehr freue, wenn ich in den Ferien nach Hause fahren kann. Oft zähle ich die Tage bis zu meiner Abreise mit Ungeduld. Und ich hoffe, wenn ich einmal für immer nach Italien zurückgekehrt sein werde, daß ich dort ganz glücklich sein kann, auch, wenn ich vielleicht manches entbehren muß, was ich von Deutschland her gewohnt war.

LUCREZIA CUMBO

»Ausländer«: ein Wort, das heutzutage als verspottend gilt. Ein Ausdruck, der die Gastlichkeit im Ausland zitiert. Doch heute sind wir nicht mehr als Gäste angenommen, sondern als Menschen, die den Deutschen die Arbeitsplätze wegnehmen. Was war aber der deutsche Staat nach dem Krieg, was wäre aus ihm geworden, wenn »wir« nicht emigriert wären? Er wäre am Ende geblieben. Heute ist er als reichstes Land Europas bekannt, und das mit Hilfe der Gastarbeiter. Nun sind wir nicht mehr nützlich, denn Deutschland ist reich.

Es soll keine Verurteilung sein, denn auch ich weiß, daß wir vieles falsch gemacht haben. Wir Gastarbeiter haben die Bemühungen der Deutschen ausgenutzt. Sie gaben uns einen Lebensstandard, eine Arbeitsstelle und ein neues Heim, wir nahmen es und wir wußten, daß wir diesen Platz nur ausnutzen würden. Wir kamen hierhin mit der Hoffnung, genügend Geld zu sparen, um dann in die geliebte Heimat zurückzufahren.

Aber nicht alle Ausländer sind aus diesem Grund hier. Viele kamen auch wegen Korrespondenz oder Sprachenkenntnis. Doch wir werden alle gleich behandelt. Wenn man auf Stellen- oder Wohnungssuche geht, wird man immer wieder abgewiesen mit der einfachen Begründung, wir seien Gastarbeiter. Wer denkt schon daran, wie wir uns fühlen, wenn wir so abgeschoben werden? Wir werden verletzt, doch es merkt keiner.

In den Schulen gibt es sogar bei den Arbeiten Sonderpunkte für Ausländer: sie meinen es gut, es macht die Schüler glücklich, doch wenn man erwachsen wird, merkt man, daß es unseren Stolz verletzt. Warum haben sie uns so behandelt? Aus Liebe uns gegenüber? Vielleicht, doch wir wollen nicht besser behandelt werden als die Deutschen. Wir taten ihnen leid, und deshalb kamen sie zu dem Entschluß dieser Extrapunkte. Wir werden verletzt, doch wer merkt es schon: wir halten doch jeden Schmerz aus, denn wir sind ja Ausländer.

Diese Diskriminierung bringt uns nur zur Verzweiflung, überall werden wir ausgestoßen. Die Stellen im öffentlichen Dienst und bestimmte Klubs werden uns verboten.

Alles wird zu Depressionen, man möchte am liebsten so schnell wie möglich ins eigene Heim zurück oder erst gar nicht mehr rausgehen, um bloß nicht mehr ausgestoßen zu sein. Auf der Arbeit, in der Schule, in öffentlichen Kinos, Theatern, Wirtschaften wird man verspottet; ob durch Schimpfwörter oder durch Zeichen und Gesten: man wird diskriminiert.

Die Absicht, die von der CSU verfolgt wird, die Gastarbeiter auszuweisen, gibt uns nur zu verstehen, daß wir immer unerwünschter werden. Es ist unkorrekt, doch alle Schuld haben die Einheimischen nicht. Wir haben die Gegend »ein wenig verschmutzt«. Das war nicht unser Recht, wir haben die Wohnungen vernachlässigt. Es kam daher, daß die meisten zu sechst oder mehr in einem Raum wohnen. Das kommt öfters bei Türken vor, sie mieten zimmerweise Wohnungen und leben dort gruppenweise. Es gibt viele Stadtteile, die nur noch von Ausländern bewohnt werden, wo sich die Deutschen nicht mehr hintrauen, wo die Gastarbeiter alleine sind und wo sie sich einsam fühlen. Wir alle werden als primitiv und als Schmarotzer bezeichnet, obwohl es viele gar nicht sind.

Meine Familie zum Beispiel ist aus Zufall hierhergekommen. Mein Vater verbrachte hier seinen Urlaub, als er noch nicht verheiratet war. Später machte er an dieselbe Stelle seine Hochzeitsreise, und sie waren so begeistert, daß sie hier eine Familie gründeten.

Mein Vater machte ein Geschäft auf und lebte hier in Ruhe, bis die Zeit kam, in der die Ausländer verabscheut wurden. Nun, ich möchte damit sagen, daß wir keine Schmarotzer sind und trotzdem als solche bezeichnet werden. Man behandelt uns wie Tiere. Als ich noch kein Deutsch konnte, hatte ich eine schwere Kindheit: ich wurde in der Schule abgeschoben, hatte kaum Freunde, konnte mich nur mit Prügeln wehren. Bis sie mich eines Tages akzeptierten. Ich konnte deutsch sprechen, ich hatte mich durchgeschlagen, und nun war ich akzeptiert. Ich schloß daraus, daß man lernen muß, nicht aufzugeben. Man muß kämpfen, um nicht verabscheut zu werden. Auch wenn man schwach ist, muß man sich stark zeigen. Ich habe es gekonnt und dadurch ein gutes Verhältnis zu den Deutschen gewonnen.

ACHIROPITA CALIGIURI

Ich heiße Caligiuri Achiropita (Petra), bin Italienerin und lebe seit 1970 hier in Deutschland, habe vom ersten bis achten Schuljahr nur deutsche Schulen besucht. Mit den Deutschen habe ich nie Probleme gehabt, ich habe mehr deutsche Freunde, ich glaube, es liegt daran, ob man sich anpassen kann. Manche kommen mit Kopftüchern in die Schule, das finde ich nicht gerade gut, man sollte sich anpassen. Meine Eltern und Geschwister verstehen sich auch gut mit den Deutschen. Zuhause reden ich und meine Geschwister immer deutsch, doch wo ich jetzt auf die italienische Schule gekommen bin, wollen meine Eltern, daß ich zuhause italienisch spreche. An manchen Deutschen gefällt mir nicht, daß sie immer sagen, daß die Ausländer ihnen die Arbeit wegnehmen, aber wenn sie dann die dreckige Arbeit machen sollen, weigern sie sich; sie sollten gar nicht den Mund aufmachen.

Aber es gibt hier auch viele nette Leute, die den Ausländern helfen. Es gibt natürlich auch viele Ausländer, die mit den Deutschen nicht auskommen. Auf meiner alten Schule waren viele Türken, und wenn wir Pause hatten, da gingen die einem Mädchen immer hinterher und ärgerten sie oder mußten sie immer anpacken; damit machten sie sich einen schlechten Ruf,

und als wir dann am Elternabend darüber sprachen, da stand ein
Türke auf und sagte, daß immer nur sie ermahnt würden, nie
die anderen. »Überall haßt man die Türken«, sagte er und ging;
ich glaube, daß er ging, weil er sich geschämt hatte, alles zu
sagen, er konnte nicht sehr gut Deutsch. Die Lehrerin holte ihn
wieder rein, und ich sagte ihm, warum sie bei vielen unbeliebt
waren. Ich traute mich auch nicht so richtig, aber ich war ja
Klassensprecherin. Nachdem wir alle uns ausgesprochen hatten, haben wir beschlossen, mal zu fragen, warum sie sich so
benehmen, aber wir haben es dann doch gelassen.

SERGIO L. AMADO
Land mit zwei Gesichtern

Mir scheint, als wäre ich zu spät gekommen. Als ich auf der
Bank sitze und über mein heutiges Leben meditiere, kommt mir
dieser Gedanke immer wieder. Nur so kann ich mir erklären,
wie ich mich in Deutschland fühle. Seltsam.

Ich höre Schritte auf dem Sand, der den Weg im Wald mar-
kiert. Es sind drei, vier Personen. Eltern mit ihren Kindern, die
den Sonntagsspaziergang machen. Die Erwachsenen, die diesen
Weg entlanggehen, haben alle dieselbe Reaktion: zuerst sehen
sie mich neugierig an; sie fragen sich innerlich, was ich hier,
allein auf der Bank, an diesem Sonntagnachmittag mache. Ich
sehe die Frage in ihren Augen. Aber wenn ich zurückblicke,
schalten sie ihre Sicht nach unten und simulieren, sie hätten
mich nicht gesehen. Die Schritte gehen fort, und ihr Geräusch
wird immer leiser, bis andere Geräusche im Wald sie anullieren.

In den kleinen Pfützen spiegeln sich wieder die Blätter und
Zweige der Bäume, deren Namen ich nicht kenne, die aber
durch einen starken Kontrast zwischen der sanften Grüne der
Blätter und der dunklen, fast schwarzen Farbe der Rinde ge-
kennzeichnet sind. Diese Bäume gehören zur Landschaft in
Deutschland; überall habe ich sie getroffen, wohin ich gefahren
bin. Irgendeine Art Biester hat ihren Spaß daran, die Blätter
durchzubohren und sie wie ein grünes Hochhaus mit vielen,
vielen Fenstern zu hinterlassen. An das alles denke ich, bis der
Lärm eines tieffliegenden Flugzeugs mich zurück zur Erde holt.
Ja, in diesem schönen Wald, so nah an der Stadt gelegen, hatte
ich beinahe vergessen, wo ich mich befand. Aber die Hunde
bringen mich noch näher zur Realität. Diese schöngepflegten,
wohllebenden Hunde, meinem Geschmack nach zu domesti-
ziert und unfrei, könnten nur zu einem hochentwickelten Land
gehören. Von ihren stolzen Besitzern an der Leine geführt, die –
mindestens scheint es mir so – sie fast als ihre Kinder betrachten. Oder noch liebevoller. Ja, bis heute habe ich hier niemand
gesehen, der einen Hund in irgendeiner Weise mißhandelt.
Aber Eltern, die ihre Kinder schlagen, das habe ich mehrmals
beobachten können. Manchmal, als ich so etwas sah, hatte ich
den Impuls gefühlt, mich zwischen Eltern und Kind als Vermittler zu stellen. Aber gleich im nächsten Augenblick erinnerte

ich mich, daß ich Ausländer bin. Vielleicht wäre es schlimm genug, sich einzuschieben, wo man nicht gerufen wird, obwohl ein Unrecht geschieht. Aber das zu tun und dazu Ausländer zu sein, das wäre Unsinn. Denn in Deutschland Ausländer zu sein, heißt öftermals, sich von einer freien Gesellschaft verstoßen zu fühlen und das Recht nicht zu haben, als normaler Mensch reagieren zu können.

In wenigen Ländern der Welt kann man so viel Freiheit genießen wie in Deutschland: Meinungsfreiheit, Freiheit, das Land zu verlassen, wenn man es will, Freiheit, Gewerkschaften zu gründen usw. All dies, was die Deutschen fast wie eine Selbstverständlichkeit betrachten, ist leider anders in vielen Nationen. Für mich als Produkt anderer Gesellschaft ist es eine seltsame aber angenehme Empfindung, um zwei oder drei Uhr morgens auf der Straße laufen zu können, ohne einen Überfall zu fürchten von irgend jemand, der nichts zu essen hat, aber keine Arbeit findet, weil es einfach keine Arbeit gibt. Für mich als Produkt anderer Gesellschaft ist es ein schönes Gefühl zu wissen, daß ich spazieren gehen kann ohne Angst, von den Kugeln eines schießenden Soldaten ohne deutliche Gründe getroffen zu sein. Hier fürchtet man nicht, zwischen Nacht und Tag zu »verschwinden«, nur weil man sich nicht mit dem Unfug einverstanden erklärt, den die derzeitige Diktatur angerichtet hat. Das alles kennt man im heutigen Deutschland nicht. Und versteht es auch kaum, denn es kann nur begriffen werden, wenn man es miterlebt hat.

Aber all dieser Wohlstand und diese Freiheit führen manchmal zur Selbstsüchtigkeit; man fürchtet, es wird jemand kommen, der alle diese Errungenschaften löschen wird. Oder vielleicht nicht jemand, sondern viele. Und wer sonst: die Ausländer, die ihre Länder verlassen und ihre Sitten und Bräuche mit sich bringen. Es müsse vermieden werden, daß die Ausländer diese Werte zerstören. Ich habe diesen Fremdenhaß gespürt; ich habe es mehrmals erfahren müssen. Ich habe hören müssen, daß es für mich keine Wohnung gibt, weil ich Ausländer bin. Ich habe auch manchen Platz verlassen müssen, weil keine Ausländer dort erwünscht waren. Ich habe mich fragen müssen, ob das Ausländersein so etwas wie eine ansteckende Krankheit ist.

Es sind vier Monate vergangen, seitdem ich das Vorige geschrieben habe. Ich habe es wieder gelesen und mit meinen heutigen Erfahrungen konfrontiert. Und ich merke, daß ich heute einen viel positiveren Eindruck von Deutschland habe. Wo liegt der Grund für den Unterschied, frage ich mich. Es könnte sein, daß ich nicht genug versucht hatte, mich den Deutschen anzupassen; vielleicht hatte ich zu oft versucht, sie mit meinen kulturellen Maßstäben zu beurteilen. Aber vielleicht liegt der Grund darin, daß ich viel mehr Kontakt zu Deutschen habe. Ich habe nämlich mehrere junge Männer und Frauen kennengelernt, denen es nichts ausmacht, ob ich ein Ausländer bin oder nicht. Sie betrachten mich als eine Person; sie sehen mich nur als einen mehr an. Und dorthin waren alle meine Bestrebungen gezielt: ich will nicht besonders sein; ich möchte weder verachtet noch bewundert werden. Ich möchte als Mensch betrachtet werden. Menschen sind unterschiedlich. Und so sind meine Kommilitonen; sie vertreten verschiedene Sozialschichten mit verschiedenen Meinungen und Erwartungen. Aber sie sind einig dort, wo es am wichtigsten ist: sie respektieren andere Meinungen, sie hören zu, sie sind bereit zu diskutieren. Sie akzeptieren Kritik. Und selten wird jemand verhöhnt.

Ich kann nicht die andere Seite der Medaille vergessen. Aber jetzt weiß ich, daß Deutschland – wie jede andere Nation – zwei Gesichter hat. Jetzt weiß ich, daß die Deutschen auch lachen und lächeln können. Jetzt weiß ich, jetzt bin ich sicher, daß es hier viele Menschen gibt, die bereit sind zu hören, zu verstehen, zu akzeptieren, zu diskutieren.

Ich glaube fest, daß eine bessere Zukunft für Fremde in Deutschland vor der Türe steht. Ich spüre es, wenn ich mit den Kommilitonen spreche. Ich sehe es in den Augen vieler älterer Menschen, die mich gütig ansehen. Und heute habe ich es in den Augen eines fünfjährigen Mädchens entdeckt, als es mit der Sonne ihres Lächelns meinen Weg erhellte . . .

PIERRE BLITHIKIOTIS
ein monat in westberlin

ich heiße petros, 38, aus griechenland.
wo ist berlin? das ist in deutschland.
und wo ist deutschland? das ist überall.
die alten leiern sind doch neue ...
und wer nicht lesen will, muß hören ...
und wer nicht hören kann, muß fühlen.
liegt berlin in ostdeutschland?
es ist dort seit dem 13. jahrhundert.
ost und west sind zwei hälften deutschlands
west- und ostberlin sind zwei welten.
westberlin ist eine insel der BRD,
die traurigste insel des westens.
schade, schade, rudi ratlos ...

wo bin ich? aber natürlich bin ich in berlin.
bist du sicher? boelckestr. 31 ist in berlin,
in tempelhof; du bist in tempelhof.
du bist auch eine insel in einer insel.
deine insel hat die nummer 31.

ich lerne deutsch, du lernst deutsch
warum lernen Sie deutsch, schüler hamlet?
um D-Mark zu kriegen, um tucholsky zu lesen?
was willst du hier, schäm' dich! du bist
ein ausländer, arbeitsloser, philosoph.

                                    westberlin, 20. 6. 78

KATHRYN SMITS
Freiburger Episoden
oder
Bericht über eine kleine Liebe

Die Spätzle der Mensa bleiben Colleen im Halse stecken. Der
junge Mann, der schräg neben ihr sitzt, hat seinen leeren Teller
längst von sich geschoben und schweigt. Halb, aber nur halb
unter dem Tisch trommelt er mit den Fingern der linken Hand
auf sein Knie. Sie sieht es, soll es auch sehen. Heute ist ihr
Geburtstag, aber der junge Mann weiß das nicht. Herr Schröder. Es ist Colleens erste Begegnung mit einem deutschen Studenten. Er nennt sie, mit übertrieben amerikanischem R, Fräulein Brown. Noch nie hat sie ein Studiengenosse mit Nachnamen angeredet, auch nicht bei der ersten Begegnung. Ein hage-
rer Mensch murmelt »Is-hier-noch-frei«, setzt sich, ohne sie
anzublicken, Colleen gegenüber an den Tisch, vertieft sich in
seine ›Frankfurter Allgemeine‹ und fängt an, Spätzle in den
Mund zu schieben. Spätzle – ein neues Wort. Herr Schröder
sieht auf seine Uhr, tut es wie einer, der dabei vom Werbefern-
sehen gefilmt wird. »Gehen wir jetzt«, sagt Herr Schröder.
   Im Schreiben des Akademischen Auslandsamtes hat man ihr
schon vor Monaten den Zweck des Brother-Sister-Programms
erläutert. Brother-Sister, auf Englisch. Colleen hat darüber in
Neuseeland gelacht. Warum verwendeten die nicht ihre eigene
Sprache? Noch in Auckland erhielt sie eine Karte von ihrer
Sister, die Käthe Förster heißt. Sie werde Colleen am Freiburger
Bahnhof abholen, hieß es da, sie wolle sie vorläufig unterbringen und ihr bei der Zimmersuche behilflich sein. Wer dann in
der Bahnhofshalle den Koffer mit dem Kiwi-Aufkleber ins Auge faßte und Colleen mit Handschlag und leicht verärgerter
Miene begrüßte, war keine Käthe, sondern dieser Herr Schröder, der – wie er ihr gleich anvertraute – dazu abkommandiert
worden war und eigentlich gar keine Zeit habe. Die Sister sei
allzu beschäftigt, sei erst nach dem Mittagessen abkömmlich. Er
hatte Colleens Koffer gleich in der Hand – »Gehen wir jetzt« –
und führte sie, durch die Glastüren des Bahnhofs, in den unge-
wohnten Rechtsverkehr hinaus.
   Auf Käthes Zimmer darf sie dann, nach dem Essen in der
Mensa, zum erstenmal einen Streit auf Deutsch mitanhören.
Herr Schröder heißt Helmut und regt sich sehr auf. Über dem

Zank vergessen die beiden Colleen, die im Rechteck des Fensters ein Stück Kastanienbaum sehen kann, in dem eine Amsel den Frühling herbeizetert. Schließlich fällt hinter Herrn Schröder die Tür zu, und Käthe sagt, sie seien ja Sisters und sollten sich duzen.

Bei Käthe kann Colleen nur diese eine Nacht auf einer Matratze am Boden schlafen. Zimmersuche. Frau Eberle ist schwarz gekleidet, und hinter ihrem Rock schauen dunkle Kinderaugen hervor. »Aber Se sind doch Deutsche, gell?« erkundigt sie sich, während sie zusammen die Treppe hinaufgehen. »Nein? Isch scho guet, isch ja net schlimm.« Im Zimmer gibt es einen Kohlenofen, zwei Schränke, ein Bett mit Plumeau (so nennt es die Wirtin und betont die erste Silbe), ein altmodisches braunes Sofa, einen Tisch und zwei Stühle mit geflochtenen Sitzen. Die Tapete ist vergilbt. Durch das Fenster blickt Colleen in den Garten, wo ein Bächlein fließt, und auf die rückwärtigen Balkons vieler Mietwohnungen: auf ein Schachbrettmuster von Gitterstäben und grauem Putz, auf grünen und gelben Wellkunststoff, auf leere Blumenkästen, Vogelkäfige, trocknende Unterhosen. Im Nachbargarten schnattern aufgeregt Gänse. Neben ihr am Fenster, dessen Flügel man nach innen öffnet, steht das kleine, zartgliedrige Mädchen – drei, dreieinhalb vielleicht? – und schaut unverwandt zu ihr empor. Fünfundsiebzig Mark im Monat. Das ist weder billig noch teuer. Bad und Klo sind nebenan, die teilt sie mit Frau Eberles Schwester, die auch im oberen Stockwerk wohnt. Nein, baden könne sie nicht, das habe die Schwester nicht gern. Aber es gebe ein Waschbecken, und Wasser könne sie sich heizen, so viel sie wolle. Die Elektrizität sei nicht extra. Gegen eine Kochplatte im Zimmer hat Frau Eberle nichts einzuwenden. Sie macht einen mütterlichen Eindruck, ist dick, gesprächig, offenbar geschäftstüchtig. Die Oma sei vor wenigen Monaten gestorben, das hier sei ihr Zimmer gewesen. »Gell Gabi, unsere Oma?« Die Kleine habe das noch nicht verwunden. Gabi heißt also das Kind.

Die große Schwester der Gabi ist sechzehn. Sie trägt ihr blondiertes Haar in einer kunstvoll gebauschten Frisur, über die sie immer wieder mit der Hand streicht, hat eine tiefe, rauhe Stimme und freut sich, daß Colleen sie nicht duzt. Manuela. Sie sitzt am Küchentisch, macht schimpfend ihre Schularbeiten und schreit die kleine Schwester an, die ihr die Hefte unter den Fingern wegreißt und schutzsuchend zu ihrer Tante flieht. Die Helankahose der Manuela ist so eng, daß sie beim Sitzen die

Beine vorgestreckt hält. Die Tante trägt, genau wie Frau Eberle, ein schwarzes Kleid, schwarze Strümpfe. Erst nach Monaten, als eine von den beiden in einer weißgetupften Bluse erscheint und von Halbtrauer spricht, geht Colleen ein Licht auf. Trauerkleidung kannte sie bisher nur aus Geschichten, zu Hause gehen sogar die Angehörigen im hellen Mantel zu einem Begräbnis. Über dem Vorort, über ganz Freiburg, hängt der Klang von Kirchenglocken. Sie reißen Colleen morgens aus dem Schlaf, läuten in der Dämmerung den Abend ein. Gelegentlich heulen auch die pilzartigen Sirenen auf, die aus den Dächern der Schulen emporsprießen. Tagtäglich pilgern die schwarzen Schwestern zum Friedhof. Sie tragen das Schönste aus dem Garten zur Mutter, als gelte es, einen bösen Geist mit Opfergaben zu besänftigen. Herr Eberle fällt in diesem Weiberhaushalt kaum auf. Er verzieht sich zu seinen Kohlköpfen im Garten, putzt den Mercedes und schweigt. Die Tante hat einen italienischen Freund, den sie bemuttert, bekocht – »Du haben Hunger, gell? Du mögen Makroni?« – und vor dessen temperamentvoller Eifersucht sie sich wohlig gruselt. Im Nebenzimmer, wo Colleen sie hören kann, knutschen die beiden abends auf der Couch, bis Gabi heraufkommt und ihnen quietschend dazwischenfährt. Sie ist ein zappeliger kleiner Störenfried, der sich in den ersten Monaten vor Colleen hinter der Mutter verkriecht, ein blasses, schnullerlutschendes Kind, das nie schlafen will, das mit müden Augen vorm Fernseher sitzt. Frau Eberle läßt sie gewähren. Die Oma sei vor Gabis Augen vom Schlag getroffen worden und gestorben, flüstert sie Colleen zu, das Kind brauche Zeit. Sie nimmt das strampelnde, spindelbeinige Wurm in die Arme und herzt es.

Sommersemester. Lateinübung um sieben c. t.; was da morgens um Viertel nach sechs schon alles unterwegs ist! Die Deutschen sind Frühaufsteher, das hat Colleen gewußt. Das Licht des Sommers läßt die Stadt durchsichtig werden, der rote Sandstein leuchtet von innen her. Hinter der durchbrochenen Spitze des Münsterturms erhebt sich im Dunst der Wald. – Fronleichnam. Morgensonne, die schräg durch die bunten Fahnen schlägt, die das Gold der Reliquienschreine aufleuchten läßt. Meßdiener in rot und weiß; das Allerheiligste wird, hoch erhoben, über Blumenteppiche einhergetragen. Später: Staub, Hitze, zertretene Blüten. Und unerwartet, in diesen Tagen lähmende Sehnsucht nach dem weiten Meer, nach dem Toben der Brandung gegen die Felsen von Muriwai, nach dem Wind der Hei-

mat, der einem den Atem verschlägt, nach den endlosen grünen
Hügelwellen von Waikato und den Sternen des südlichen Himmels. Im zufälligen Gespräch stellt eine Mitstudentin nüchtern
fest: »Sie haben Heimweh. Sie kommen mit nach Hause zu
meiner Mutter.« Colleen findet sich am Tisch einer Freiburger
Familie wieder. Vater, segne diese Speise, uns zur Kraft und dir
zum Preise, Amen. Es gibt Spinat mit Spiegeleiern und später
ein Gespräch in einem von Kastanien überschatteten Garten.

»Frl'n Braun«, sagt das Kind um den Schnuller herum. Es
nimmt jetzt Colleens Hand und geht durch die Schrebergärten
mit ihr zum Bäckerladen. Unterwegs rupft es Vergißmeinnicht
und muß an einem Lattenzaun ein Schäfle streicheln, ein weißes, verhätscheltes Schaf. Colleen denkt an die endlosen Transporte in die Schlachthöfe ihrer Heimat, an vielstöckige, dröhnende Lastwagen auf den staubigen Landstraßen, an das Blöken
und Husten auf nächtlichen Rangierbahnhöfen. Im Bäckerladen
bekommt Gabi ein Bonbon. Sie schielt lutschend zu den Großen empor und gibt Anlaß zu einem Gespräch. »Woher? Wieso? Für wie lange?« Die üblichen Fragen. Wo Neuseeland liegt,
wissen die wenigsten, auch die Bäckersfrau weiß es nicht. »Sammeln Sie Briefmarken?« fragt Colleen. Briefmarken hat sie immer zu vergeben. »Ich nicht, mein Onkel.« Das nächste Mal, als
sie bunte Marken auf den Ladentisch legt, begegnet sie einem
unsicheren Blick, die Frau streckt nur zögernd die Hand aus.
»Kostet das etwas?« Colleen schüttelt langsam den Kopf und
senkt die Augen. Sie schaut auf das Kind, das einen Marienkäfer
in rotem Stanniol entdeckt hat und sie am Ärmel zupft.

Im vollbesetzten Auditorium Maximum herrscht andächtige
Stille. Der Professor verschmäht trotz der Größe des Raumes
das Mikrofon, rundet seine Perioden mit eleganten Handbewegungen. Colleen horcht, schaut, schreibt mit, bis das Bild dieser
Vorlesung mit einem anderen zusammenfließt. Sie sieht unter
den Zuhörern die dicke Frau Eberle, wie sie am vergangenen
Sonntag im Garten saß. Die Schenkel quellen unter ihrem
schwarzen Rock hervor, sie schwitzt, ihre nackten Füße stecken
in einem Eimer Wasser. Frau Eberle, sprachlos vor Unverständnis, mit einem halbformulierten »Jéssis Gott« auf den Lippen.
Und weiter: Gabi, die kleine Ratte, die ihrer Mutter mal wieder
entwischt ist. Sie hockt – Colleen sieht es deutlich – auf ihren
Fersen zu Füßen des Redners und zieht ihm, während alles an
seinen Lippen hängt und die Augen nicht unter seine Silberkrawatte sinken läßt, die Schnürsenkel aus den Schuhen. Colleen

versucht vergeblich, dem Grinsen, das sich auf ihrem Gesicht ausbreitet, Einhalt zu gebieten. Ihre Nachbarin sieht mit Besorgnis aus dem Augenwinkel, wie sie den Kopf auf die verschränkten Arme legt und wie ihre Schultern zu zucken beginnen.

»Laterne, Laterne, – Sonne, Mond und Sterne.« – Ist dies der erste Freiburger Herbst, den Colleen erlebt, oder ist es schon der dritte? Goldenes Laub, das dann bald knöcheltief auf den Fußwegen liegt. Auf dem Friedhof werden die Gräber mit Tannenzweigen abgedeckt, die Toten bekommen zu ihrem Fest ein Lichtlein gespendet, die Chrysanthemen leuchten im Nebel. Laternen werden baumelnd durch die Straßen getragen. Der kleine Kohlenofen schnurrt in Colleens Zimmer, die Schreibmaschine klappert. Das Kind kniet am niedrigen Kaffeetisch, singt vor sich hin und malt einen Nikolaus. »Niklaus, komm in unser Haus, leer dein goldnes Säcklein aus . . .« – »Frl'n Braun?« – »Gabi?« – »Schaun Se mal de Nikolaus!« Colleen wendet sich um, sieht ein mundloses Ungeheuer im roten Bischofsmantel. »O Gott,« sagt Gabi und schlägt sich vor die Stirn – »Nikolaus het kei Gosch!« Sie taucht den Pinsel in die rote Farbe und malt einen großen, geschwungenen Mund in das leere Gesicht. »Do – e Gosch!« Ihre braunen Augen blitzen Colleen entgegen. »Frl'n Braun?« – Endlose Fragen, aber auch Stunden der Ruhe, in denen Colleen arbeitet und das Kind sich singend beschäftigt. Es erscheint in der Tür – »darf ich?« – läßt sich lang aufs Sofa fallen. »Bei Ihne isch's ruhig«, seufzt es zufrieden, »bei Ihne gibt's kei Fernseher.« – »Se darf net störe«, warnt Frau Eberle. »Wenn s' Ihne lästig wird, schicke Se se runter, gell?« Gabi singt leise: »Otmar hat ins Bett geschissen, mitten aufs Paradekissen . . .« Hochdeutsch spricht sie bei feierlichen Anlässen und wenn sie die Kindergärtnerin nachahmt. Gabi bastelt mit Klebe eine Schale aus Papier, steht schließlich mit gespreizten Fingern im Zimmer, unfähig, etwas anzurühren. Colleen muß ihr die Tür zum Bad aufmachen, damit sie sich die Hände waschen kann. Die vergilbte Tapete ist von Kinderzeichnungen fast verdeckt. »Für Sie«, sagt Gabi und überreicht ihr die klebrige Schale – »für Ihren Rosenkranz.« Colleen freut sich. Auf dem Rand prangt ein grinsender Papierengel. »Aber ich habe keinen Rosenkranz, Gabi.« Gabi springt auf das Sofa, daß die Federn ächzen. »Isch scho recht – tuen Se halt e Radiergummi 'nei.«

Mord in Dallas, Texas. Frau Eberle sitzt vorm Fernseher und

schluchzt. »Was wird jetzt werde? Was müsse mer jetzt anfange?« Colleen sucht im Rundfunk die Stationen ab, findet schließlich einen amerikanischen Sender und dolmetscht für die Familie. Zum erstenmal in ihrem Leben nimmt sie an einem Fackelzug teil, ist eine von Tausenden, die schweigend durch die dunkle Innenstadt ziehen. Auf dem Münsterplatz, unter dem stummen Turm, hört man nur das Aufschlagen der Fakkeln, die ins Feuer geworfen werden, und das Knistern der Flammen.

Weihnachten verbringt Colleen bei Bekannten auf dem Lande, aber sie erlebt, wie sich Freiburg in den Adventstagen schmückt, wie sich die Schaufenster verwandeln. Gabi singt beim Adventskranz, läßt, was ihre Wünsche betrifft, dem Christkind keine Ungewißheit. Colleen erzählt von Weihnachten am Meeresstrand unter blühenden Bäumen, von Heuernte am zweiten Feiertag, von den Zikaden, die der schimmernden Hitze ihre Stimme leihen. Frau Eberle und die Tante schütteln sich vor Widerwillen. Weihnachten im Sommer, so was gibt's doch nicht. Im Fernsehen singt ein Kinderchor: »Leise rieselt der Schnee.«

Manuela fährt jetzt einen weißen Alfa Romeo, und Herr Eberle putzt am Wochenende zwei Autos. Gabi hat zu Weihnachten einen Pudel mit Stammbaum bekommen, der an unerwarteten Stellen Lachen hinterläßt und die Strümpfe der Tante von der Wäscheleine zerrt. Colleens Kartei wächst. Sie arbeitet, umgeben von Büchern und Papierstößen. »Sie habe's guet, Frl'n Braun«, seufzt Gabi, »Sie brauche nur zu schreibe. D' Mamma muß immer schaffe.« Sie tritt in Colleens Zimmer ein, stemmt die kleinen Fäuste in die Hüften, blickt sich um und sagt – nicht einmal vorwurfsvoll –: »Bei Ihne isch wieder e Saulade.« Sofort macht sie sich an die Arbeit. Colleen läßt das Kind Ordnung schaffen, rettet nur die Papiere, die am Fußboden liegen. Als sie mit fünf oder sechs aufgeschlagenen Büchern am Schreibtisch sitzt, bringt ihr Frau Eberle eine Schale Suppe, zum Probieren. »Jéssis Gott, Frl'n Braun«, sagt sie erschrocken, »müsse Se die alle gleichzeitig lese?« Colleen geht auf Reisen. Paris. Kärnten. Rom. Die Inseln der Ägäis. Die Postkarten, die sie nach Freiburg schreibt, sind wie Grüße nach Hause. Wenn Colleen von diesen Fahrten zurückkehrt, ärgert sie sich kaum noch über das ehemals so verhaßte Gedränge an den Bushaltestellen.

Sie gibt die Dissertation ab, fotografiert eine riesige Zuckertüte, hinter der Gabi hervorguckt und ihre Zahnlücke zeigt. Am

Kaffeetisch werden jetzt Hausaufgaben geschrieben, Kringel und Schleifen nach oben und unten, die das Kind immer wieder mit Spucke wegwischen muß. Zaghaft erscheinen die ersten Sätze, klammern sich ängstlich an das Spalier der Schiefertafel, bis einer von ihnen kreuz und quer durch das Rechteck springt und über den Holzrahmen zu entkommen sucht. »Ja hör' mal«, sagt Colleen, »was ist denn das? Das kannst du doch viel schöner?« Gabi strahlt. »Ha jo, Frl'n Braun«, erklärt sie eifrig, »des hab' ich au mit zú-ene Auge g'schriebe.« Neunzehn Wochen bis zum Rigorosum, dreiundzwanzig Wochen bis zur Heimkehr. Colleen wagt es kaum noch, über den Tag hinauszudenken, prägt sich endlose Formeln und Daten ein, hält sich, wenn das rhythmische Quietschen der Schaukel aus dem Garten zu ihr dringt, die Ohren zu. – Doktorprüfung. Frau Eberle weint vor Glück, schließt Colleen, den Pudel und das Kind gleichzeitig in die Arme. Gabi knickst versehentlich vor Aufregung und sagt entschlossen: »Jetzt nenn ich Sie *nur* noch Frau Doktor – gell, Frl'n Braun?« Colleen schaut sie lange an, wird mit Staunen gewahr, daß ihr das Mädchen fast bis zum Kinn reicht.

Zum letztenmal wandert sie durch den Schwarzwald, dessen Höfe mit leuchtendem Geranienschmuck unter ihren gewaltigen Strohkapuzen hocken, dessen Klöster und Dörfer, von zarterem Grün umgeben, sich in den Falten der Landschaft sonnen. Bei der Rückkehr grinst Gabi ihr mit blassem, müdem Gesichtchen entgegen. Masern. Sie erholt sich schon wieder, freut sich, wenn Colleen ihr aus Pappe und Stoffrestchen eine Puppenstube bastelt, sitzt stundenlang am Fenster, die Arme um den Pudel geschlungen, und schaut den Vögeln zu. In Colleens Zimmer verschwindet alles, was diesem Raum Leben gab, in Kisten und Koffern. Zwischendurch macht sie Abschiedsbesuche, wandert ziellos durch die Stadt, sitzt unten bei Gabi und liest ihr Märchen vor. Einen Tag vor Colleens Abreise fahren Eberles zur Kur. Das Kind sitzt eingewickelt auf dem Rücksitz im Wagen und freut sich auf den Urlaub. Herr Eberle läßt den Motor anspringen, die Tante erteilt letzte Ratschläge. Colleen liegt in den Armen der schluchzenden Frau Eberle, während der eingeschlossene Pudel hinter der Haustür tobt und Gabi lächelnd zu ihr hinüber winkt.

Colleen steht mit der Tante am Gartentor und sieht dem Wagen nach. »Fahr langsam!« schreit die Tante noch, als er schon um die Ecke verschwindet.

Gast oder Arbeiter?

FRANCO BIONDI
Frescher Gastarbeiter

Du schlechter Itaka, warum du schreien
warum du deutsch schlecht machen
warum du so böse, so fresch

du haben arbeit bei uns
du haben saubere und superschöne wohnung
du haben hier heizung und licht
du kann alles kaufen
du kann alles haben bei kaufhof und neckermann

du eseltreiber, warum du so bockig
du schlappenflicker, warum du so fresch
du dreckiger ausländer, warum du so feindlich

sind vielleicht unsere schulen schlecht
für euere dummen kinder
sind vielleicht unsere deutschen beamten nix gut
und geben euch lange aufenthaltserlaubnis
sind die deutschen vermieter vielleicht schlecht
wenn sie gute billige wohnungen geben

ist deutschland nix gut genug
ist die deutsche mark nix gut genug
sind die deutsche nix gut genug
wir tun alles für euch
warum du also so böse und feindlich

wenn du nix schluß machen
du so böse und feindlich zu sein
dann wir dich zurückschicken
mit poststempel auf arsch

samt aller deiner kinder
verstanden
du frescher gastarbeiter

Nicht vorübergehend

Sie nehmen ihren aufenthalt im bienenstock
wie es reisende im schlafwagen nehmen:
mit dem koffer noch halbgeöffnet
und die kleider am bettrand.

Sie leben als wenn sie nur beiläufig wären:
nur mit dem unbedingt notwendigen
nur mit dem gelegentlichen
nur mit sich selbst, allein gestellt.

Und sie merken von jahr zu jahr
daß der zug den sie genommen hatten
eine große unvorhergesehene verspätung hat,
daß die reise noch viele unbekannte hat

daß die ankunft ungewiß geworden ist
daß die vorläufigkeit ihrer dinge
andauernde bedingung geworden ist.

Die Heimfahrt

1

Erst seit einigen Tagen war es richtig Frühling geworden, es ging über Nacht, und der Winter zog sich zurück; das Gras neben der Baracke wurde saftig grün, und wir wurden auch gesprächiger.

Ich hatte bereits gegessen, gespült, die dreckigen Strümpfe gewaschen, und ich konnte vom Fenster sehen, daß die Sonne noch nicht untergegangen war.

So beschloß ich, doch noch den gewöhnlichen Gang am Rhein zu machen.

Am Uferende, wo das Dorf aufhörte, und der üppige, schmale Wald am Rhein entlang sich nordwärts streckte, waren neben den hohen Ulmen Sitzbänke. Ein Mann, der seit nun einigen Monaten bei uns arbeitete, saß auf der letzten Bank und las eine italienische Zeitung. Er hatte noch die Sicherheitsschuhe an und trug eine graue Arbeitshose.

Ich hielt an, schaute zum Rhein hinüber, zwei Schiffe ratterten langsam vorbei, im Dorf, auf der anderen Seite des Rheins brannten schon Lichter. Der Mann erhob den Kopf.

»Diese Scheißzeitungen bringen nur Liebesaffären, als ob es nichts anderes auf der Welt gäbe.«

Er steckte die Hand in die Tasche und holte das Päckchen Zigaretten heraus.

»Rauchst du?«

Ich zündete beide Zigaretten an, setzte mich neben ihn, er faltete die Zeitung zu. Auf der anderen Seite des Flusses gingen immer mehr Lichter an. Ich schloß die Augen und dachte an zu Hause, an Concetta, an Maria und Pippo. Ich erinnerte mich an die letzten Ferien, vor einem dreiviertel Jahr, und stellte mir die zwei Kinder vor, die wieder gewachsen sein mögen, und ich dachte an das Gesicht von Concetta, die wieder manche Falten und weiße Haare mehr haben wird.

Seitdem sie mir im vorigen Sommer älter auffiel, vermochte ich mich nicht mehr so genau im Spiegel zu betrachten, aber der Gedanke, daß wir nach wieder einem Jahr und wieder einem Jahr und noch einem Jahr getrennt lebten und dazu älter und immer mehr voneinander entfernt wurden, wollte mich den

Winter nicht mehr verlassen; er machte mich traurig, und ich versank ins Grübeln.

»Wo bist du her aus Italien?« fragte der Mann, während er Rauch herausblies.

»Aus der Gegend von Bari, zwischen Bari und Brindisi.«

Er machte einen erstaunten Eindruck.

»Ah, ich habe in Mainz einen Freund aus der Gegend. Der kommt aus Monopoli.«

»Ich komme aus Dörfern, weiter südlich, aus Fasano.« Er steckte seine Zeitung in die Tasche und starrte auf das braune Wasser des Rheins.

»Ich komme aus Kalabrien, Rosarno.«

Ich nickte.

»Schöne Gegend, habe ich gehört.«

Er lachte erfreut.

Ein Auto kam langsam an und hielt knapp am Ufer, zwei Jugendliche saßen darin. Wir erhoben uns und liefen zum Wald hin. Der Kalabrier bot mir wieder eine Zigarette an und zündete sie mit nervöser Hand an.

»Fährst du nach Hause im Sommer?« fragte er.

»Wenn alles klappt, ja.«

»Du bist ja lang im Betrieb.«

»Solange ich in Deutschland bin, fünf Jahre.«

»Du hast es gut. Ich bin erst seit zwei Monaten hier. Ich kriege noch keinen Urlaub. Was schaffst du eigentlich?«

»Säcke füllen, nichts als Säcke füllen, seit fünf Jahren.« Der Mann runzelte die Stirn.

»Scheißarbeit.«

»Mir geht's ähnlich, und ich hab's schon satt.«

Er blieb stehen und schaute mich fragend an.

»Kehren wir um?«

Ich nickte. Die Dunkelheit hatte schon die Wipfel umschlungen, auf der anderen Seite des Flusses, bis hin zum Taunus hoch, waren alle Lichter an. Sie erinnerten mich an das Meer bei uns, voller Fischerschiffe, in der Nacht.

»Weißt du, ich war Mechaniker in Mainz, ich hab' Ärger mit dem Meister gehabt; der war zwar ein guter Kerl, zum Schluß hätte ich ihm aber gerne in die Fresse gehaun. So bin ich lieber gegangen.«

Ich warf die Kippe zu Boden und zerdrückte sie.

»Wir haben es schon schwer in Deutschland«, seufzte ich.

Er blieb wieder stehen, luchste mich mit bohrendem Blick an.

»Bist du verheiratet?«

»Ja, mit zwei Kindern.«

»Bekommst du Post von zu Hause?«

Die Frage war diesmal sehr gerafft, wie aus einem Guß.

»Klar, jede zweite Woche. Ohne Post von zu Hause – ja, da wäre ich schon längst verrückt geworden.«

Er wirkte nervös, seine Lippen bebten etwas, ohne daß jedoch ein Laut herauskam. Ich spürte ein Unbehagen.

»Machst du Überstunden?« fragte ich.

»Ich bekomme seit zwei Monaten keine Post.«

Er holte wieder das Päckchen heraus und zündete eine neue Zigarette an.

»Ich weiß es, sie setzt mir Hörner auf.« Seine Stimme bebte jetzt. »Vielleicht ist etwas passiert«, rutschte es mir aus dem Mund. Ich war verlegen.

»Gerade gestern habe ich eine Postkarte von meiner Schwester bekommen.«

Mir fiel der erste Abschied von Concetta ein. Am Bahnhof waren wir aneinandergeschweißt, als der Zug kam. Wir küßten uns, und unsere Tränen schmeckten bitter. Nur für ein Jahr, höchstens für zwei, trösteten wir uns. Inzwischen waren fünf Jahre weg, und meine endgültige Rückkehr lag noch in weiter Ferne.

Wir hatten zwar alles kalkuliert, jedoch nicht das Wichtigste: die steigenden Preise, die die Überweisungen und Ersparnisse schmälerten, die unveränderte, hoffnungslose Arbeitslage im Dorf und der krasse Unterschied zwischen dem, was über das gelobte Land Deutschland erzählt wurde, und dem hier von mir geführten Barackenleben.

»Du wirst schon Post bekommen«, sagte ich automatisch und dachte an zu Hause. »Die Post klappt sowieso ganz schlecht in Italien, es ist vielleicht nur eine Verspätung.«

Der Kalabrier starrte mich an. Inzwischen konnte ich die Lichter der Baracke erkennen, manche dunkle Gestalten bewegten sich in den Zimmern.

»Nein, es ist keine Verspätung, ich weiß es. Die betrügt mich, bestimmt.«

»Schon zurück? rief uns mein Zimmerkamerad zu, der an der Treppe vor dem Eingang saß. Ich setzte mich dazu, während der Kalabrier zu seinem Zimmer hin weiter ging.

»Mach dir bloß keine Sorgen«, rief ich ihm nach. Er drehte sich nicht mehr um. Offenbar hatte er es nicht mehr gehört.

2

Ich hatte schon mal versucht, einen Vergleich zwischen Knast- und Barackenleben herzustellen, aber da ich keine Ahnung vom Knastleben hatte, gab ich diesen Gedanken auf. Mein Leben aber fand ich wie ein Leben im Knast oder noch schlimmer, abgesehen von der lebensnotwendigen Beschäftigung, wie Kochen, Waschen, Bügeln, die mich vom Nachdenken abhielt, war die übrige Zeit in der Baracke eine Qual.

Ganz besonders im tiefen Winter oder wenn es regnete, war ich im Zimmer eingeklemmt, und meine Gedanken endeten schließlich immer nur in drei Kreisen: die Arbeit und der Ärger im Betrieb, die täglichen Zankereien mit den anderen Baracken-einwohnern wegen der Bad-, Toiletten- und Küchenbenutzung und das zu Hause. Und wenn es tagelang regnete, saß ich am Fenster und schaute zum leeren Platz hin, versenkt in tiefer Trauer. Es kamen Momente, in denen mir alles gleichgültig war: die Arbeit, das Barackenleben, mein Dorf und meine Familie. Ich fühlte mich leer und gleichzeitig innerlich angespannt und wünschte mir, bald zu sterben. Ich flüchtete in Erinnerungen, zu der Zeit, in der ich nicht einmal im Traum an die Emigration, an die Arbeit im Ausland dachte. Damals hätte es ruhig regnen können. Ich war dort so fest verankert wie hier die Ulmen am Rhein, und Wegschwimmen mit dem Regen, mit dem Hochwasser wäre unmöglich gewesen. Ich spürte es, bei anhaltend schlechtem Wetter wäre ich doch widerstandslos mit dem Schlamm mitweggeschwommen. Und sobald ich nur konnte, ging ich zum Hauptbahnhof, in die Stadt, um die aus Süden kommenden Züge zu sehen, die vertraute Luft mitschleppten. Ich genoß sie. Manchmal, und besonders wenn ich Spätschicht hatte, ging ich einfach ins Dorf, machte meine Einkäufe und stellte mich anschließend vor die Post, rauchte dort eine Zigarette in Ruhe und beobachtete das Dorfleben.

Irgendwie war es unserem ähnlich. Die Frauen gingen geschäftig einher, machten Einkäufe und wechselten ein paar Worte unter sich; die Alten standen vor ihrer Tür und rauchten Zigarre. Die Kinder schrien und spielten auf den Gassen. Die Menschen schienen mir insgesamt freundlich und gelassen.

Wenn ich Frühschicht hatte oder am Wochenende in den Dorfkern kam, bemerkte ich jedoch die andere Seite des Dorfes. Sie lebten anders, ganz anders.

Die Straßen waren wie leergefegt, ihr Leben spielte sich ganz hinter den Mauern ab, wie in geheimnisvollen Höhlen versteckt, uneindringlich und fern; jeder für sich. Und wenn sie nicht ihr Auto wuschen oder den Garten mähten oder im Feld waren, so waren sie sicherlich in ihren Stuben, vor dem Fernseher versteckt. Auch das Leben nahmen sie, so schien es mir, zu ernst, zu genau.

Sie lebten doch unter sich, nur wenige nahmen uns vor der Baracke wahr. Nur wenige wechselten mit uns ein paar Worte. Ich spürte, daß sie mir nicht zugänglich wurden, daß ich für sie ein Fremdkörper war, daß sie uns solange akzeptierten, solange wir für sie arbeiteten, solange wir zu ihrem Wohlstand beitrugen, solange wir ihr Dorfleben nicht auffallend störten.

Mir gefiel das Dorf, zwischen Feldern, Rhein, Wald und Fabriken, und ich genoß es in seinen vielfältigen Farben, wenn ich spazierenging. Mir gefielen die Menschen, auch wenn sie ganz anders waren.

Mir gefielen sie mit ihrem gemütlichen Gehabe, mit ihren friedlichen Gesichtern, aus deren Röte ich die Weintrinker erkannte.

Nur einer von ihnen sprach mich immer an, wenn er mich sah. Es war Hansi, der mit einem kleinen Hund ständig durch das Dorf wanderte. Mit seiner alten graukarierten, schmutzigen Jacke und der vergammelten Hose sah er älter aus, als er in Wirklichkeit war, so etwa sechzig Jahre alt. Einer von der Baracke, der der Sprache kundig war und mit den Deutschen verkehrte, kannte die Geschichte Hansis oder was im Dorf über ihn erzählt wurde.

Hansi lebte allein mit seinem Hund in einem alten, verwahrlosten Bauernhaus und ernährte sich von einer kleinen Kriegsrente. Er hatte niemanden mehr. Seine Frau starb während des Bombenangriffs, gegen Kriegsende, seine Tochter kurze Zeit später in einer Nervenklinik, seine zwei Brüder, die der Sozialistischen Partei angehört haben sollen, sind von den Nazis abgeholt und erschossen worden.

Nachdem er vom Krieg heimkam, hatte er sich im Haus eingeschlossen und keine Arbeit mehr aufgenommen.

Erst seit etwa zehn Jahren wagte er sich wieder hinaus, und seitdem war er ständig auf Tour. Er war sozusagen der Narr des Dorfes. Sie machten sich lustig über ihn, machten ihn besoffen und ließen ihn neue Nummern machen. Wenn ich ihn sah, war er meistens damit beschäftigt, mit sich selbst zu sprechen. Dabei bewegte er seine rechte Hand, als ob er jemandem etwas erklären wolle.

Sobald er mich sah, holte er ein breites Lächeln aus sich heraus und fragte nach meiner Familie. Er hatte sich die Namen von Concetta und Maria gemerkt und erkundigte sich nach ihrer Gesundheit. Er hatte auch das Foto, das ich immer in meiner Brieftasche trug, gesehen und fragte nach dem anderen Kind:

»Und de Klene, bei die Mutter, mit große Aagen, was macht se? Gut in de Schule?«

Beim letzten Mal, als er danach fragte, schaute er mir intensiv in die Augen, seine blauen Augen glänzten.

Dann schoß er plötzlich los: »Du viel Schmerz in Deutschland, gell?«

Ich war sprachlos, und bis ich mir eine Antwort überlegen konnte, setzte er fort: »Ich versteh, ich kenn das vom Krieg: schlecht allein.« Er klopfte sich auf die Brust. »Hier, verstehst, viel Schmerz.«

»Ja, ja«.

Der Hund bellte.

»Ruhisch, Fifi. Horscht du nit, daß ich mit dem rede?« Er wandte sich mir zu. »Ja, ja, amigo, ganz allein nix gut. Wann du zurück?«

Ich hob die Schulter. »Nix weiß. Familie muß essen, Kinder muß Schule, nix weiß.«

»Du, deine Familie Deutschland kommen«, sagte er. Seine Augen wirkten eindringlich.

»Du mit Familie zusammen, besser.«

Fifi bellte. Er hob ihn und streichelte ihn am Kopf, der Hund schaute ihn befriedigt an.

»Familie bringen, Mann. Zusammen gut, verstehst?«

»Wohnungssuche, Kinder, Schule, alles schwer«, sagte ich widerwillig.

Wie er mit mir sprach, schien er gar nicht so verrückt, wie er sonst dargestellt wurde. Er machte mir Vorschläge, die mir sonst kein Mensch hier machen würde.

»Ach, du packst alles.«

Er ließ den Hund fallen und winkte ab.

»Weiß nix, vielleicht nix gut.«

»Du schaffst doch hier, oder?« Er schaute mich fragend an. »Du nix hier Arbeit?«

»Doch, doch.«

»Also, du Familie kommen, warum warten, oder du zurück?«
Er hatte den wunden Punkt getroffen. Auch wenn ich zurück
wollte, ich konnte es einfach nicht. Und allein hier, war es
schlimm, er hatte recht, und ob er recht hatte. Er hatte es wohl
am eigenen Leib gespürt und wußte, was er sagte.

Ich lachte gezwungen.

»Hansi, du versteh? Ich noch 94 Tage, dann Urlaub, Familie
zusammen, schön.«

Er schaute mich ungläubig an, und ich wiederholte: »Noch
94 Tage, ich habe Kalender geguckt, dann Urlaub.«

»Komm zurück mit Familie?«

Ich verzog das Gesicht und schüttelte stumm meinen Kopf.
Ich hatte Angst. Die Familie hochzubringen, hieße, die letzten
Fäden zum alten Dorf zu zerreißen, ohne hier neue geknüpft zu
haben. Gewiß, ich wäre nicht mehr ganz allein, aber wie ver-
kraften dann die Kinder, Concetta, die neue Umgebung? Und
kehren wir jemals überhaupt zurück? Viele Fragen warfen sich
auf, neue Unsicherheiten wurden sichtbar, und ich hatte nicht
die Kraft, ihnen zu begegnen.

»Vielleicht«, sagte ich, um ihn nicht weiter bohren zu lassen.

3

Ich sah den Kalabrier wieder am Rheinufer. Er warf seine Kippe
in den Fluß und machte kehrt, als er mich bemerkte.

»Ärger mit dem Meister?« fragte ich, als wir uns trafen. Er
schaute mich flüchtig an und schwieg. Er hatte schon eine neue
Zigarette angezündet und zog an ihr, bis sie glühte.

»Ich kann eine andere Richtung gehen, wenn ich dich störe«,
sagte ich leise.

Er starrte mich an, seine Augen wurden kleiner, seine Lippen
entspannten sich.

»Nein, bleib nur, ich hab' nix gegen dich.«

Er starrte wieder zu Boden. Wir erreichten die ersten Bäume, es roch nach feuchtem Gras, und die Blätter an den Bäumen strahlten ein saftiges Grün aus. »Noch 54 Tage, dann
ist es soweit,« sagte ich seufzend. Er schien nicht zuzuhören.
Plötzlich platzte er heraus: »Ich bringe sie beide um! Ich
bringe sie um!«

Wir blieben unter einer Eiche stehen, am Rheinufer entlang

wuchsen hier und da Kopfweiden, die mir diesmal winziger und hoffnungslos von den Sumpfflächen erdrückt erschienen.

»Ich bringe sie um! Sie ist eine Hure, und ich bringe sie um!«

Ich faßte ihn am Arm und schüttelte ihn heftig.

»Was ist los?«

Ich ahnte es, aber ich konnte es selber nicht fassen.

»Bist du verrückt geworden?« schrie ich.

Er fing an zu heulen.

»Beruhige dich, komm, beruhige dich.«

Er zündete sich eine andere Zigarette an und schluchzte. »Ich schufte hier wie ein blödes Schwein, ich lasse mich hier ständig zur Sau machen und schlucke den ganzen Mist. Und sie, und sie ...«, seine Stimme überschlug sich und kam ins Stocken, »sie haut ab!«

Er schaute mich verzweifelt an. Seine Wimpern zitterten, und ich bemerkte, daß er kaum die Zigarette in der Hand halten konnte.

»Kannst du es begreifen? Ich schufte hier wie ein Narr, und die haut mit einem anderen ab! Die Hure! Wenn ich sie kriege, bring' ich beide um! Ja, beide!«

Er fiel auf die Bank neben der Warzenbirke, wo ich oft sonntags saß und an zu Hause dachte.

»Die Hure! Als ich nach Deutschland kam, da flennte sie. Einen Eimer voll Tränen vergoß sie. Und jetzt?«

Er erhob sich wieder.

»Vielleicht hast du eine falsche Information gekriegt von jemand, der etwas gegen dich hat«, beschwichtigte ich.

»Red keinen Scheißdreck! Sie hat sich aus dem Staub gemacht, hundertprozentig. Meine Schwester hat es mir geschrieben. Den Buben haben sie vor die Tür der Wohnung meiner Schwester gestellt und sind ab. Ab, spurlos verschwunden!«

Er griff mich am Kragen und zog mich mit Gewalt zu sich hin.

»Kannst du es verstehen?«

»Laß los!« Ich packte ihn an den Händen. Er ließ los, blickte verstört und lief weiter, schweigend.

»Nein, es ist kein Gerücht. Sie ist abgehauen, und ich hab's geahnt. Sie schrieb nicht mehr. Sie antwortete nicht mehr auf meine Briefe.«

Ich bot ihm eine neue Zigarette an und merkte, daß ich auch zitterte. Während er sprach, dachte ich eigentlich an Concetta. Sie beantwortete meine Briefe, sie erzählte mir alles von zu

Hause. Wir liebten uns in unseren Briefen. Wir glommen bei jeder Zeile, die auf ein Wiedersehen im Sommer hindeutete. Und doch zitterte ich.

»Es konnte nicht lange gut gehen«, murmelte er vor sich hin. »Sie war auch nicht sauber, sie wollte nicht nach Deutschland mit mir kommen. Arbeit gibt's genug hier. Sie wollte aber nicht. Ich mag die Fremde nicht, sagte sie. Die Hure, nun ist sie abgehauen, in die Fremde, mit einem fremden Mann.«

»Was machst du jetzt?«

Er starrte mich an mit einem Haß, als ob ich seine Frau wäre.

»Ich muß runter wegen meines Sohnes, der auf der Straße liegen würde, wäre nicht meine Schwester dagewesen. Aber ich kriege noch keinen Urlaub, dafür bin ich zu kurz in der Firma.«

»Wenn du es sagst, dann lassen sie dich bestimmt gehen.«

»An die große Glocke hängen, damit es jeder erfährt und mich zum Hampelmann macht?«

Seine Stimme klang hart und verbissen.

»Nein, nein, aber ich muß runterfahren, da komm' ich nicht drumherum.«

»Sag' es dem Boß, vertraulich, und es wird schon gehen.«

Wir waren bei der kleinen Brücke angekommen, unter der Abwässer zum Rhein flossen. Es roch fürchterlich nach Kloake. Er schien es nicht zu bemerken, so tief war er in seine Gedanken versunken.

»Am Montagmorgen rede ich mit dem Meister«, sprach er, »und mittags bin ich im Zug.«

Er dachte nach. »Eigentlich bin ich schon im Zug, mit einem Bein bin ich schon im Abteil.«

4

Die ganze Nacht hatte ich kein Auge zugetan. Es regnete. Das Tröpfeln auf das Blechdach und das Abfließen des Wassers im Kanal steigerten meine Schlaflosigkeit zur Qual. Auch den Wind hörte ich gegen das Blechdach zischen, und es schien mir, als käme alles aus meiner Seele heraus. Wenn ich nicht Angst gehabt hätte, die anderen zwei Zimmerkameraden aufzuwekken, hätte ich geheult.

Erst gegen Morgen kam ich zur Ruhe und schlief leicht ein. Im Hinterkopf hatte ich einen Alptraum: ich lief am Rheinufer entlang, zum gewohnten Spaziergang, als sich ein Loch öffnete und ich hineinfiel. Das Loch selbst mußte unendlich tief gewesen sein, denn ich fiel, ohne jemals an ein Ende zu gelangen; es war so, als ob ich im luftleeren Raum schwebte. Und währenddem trat vor mich Concetta, die sich von mir verabschiedete. Dann hatte ich alle möglichen Jugenderinnerungen vor mir, Erinnerungen vom Dorf, dann wieder das lächelnde Gesicht von Concetta, die mir zuwinkte.

Geschirrgeklirr drang zunehmend in mein Ohr: Luciano, der eine Zimmerkamerad, aß und schmatzte. Das Kissen war wie ein harter Stein auf meinem Gesicht, wie ein Stein am Ende des Loches.

Ich stand auf.

Es herrschte Aufruhr in der Baracke. Michele war wieder mit einer Nutte gekommen, und es hatte sich bereits herumgesprochen. Er kam öfter mit einer Neuen, so zweimal im Monat. Keiner wußte, wo er sie aufgabelte und wie er das machte. Wir wußten nur, daß er einen beträchtlichen Gewinn davon hatte. Er hielt sie in seinem Zimmer und wartete dort auf Kunden.

Luciano lachte hohl.

»Ich halt' sie mir als Nachspeise, kein Obst heute, eh! Sondern eine klasse Blondine, ich habe sie gesehen, und ich sage dir, einmalig!«

Ich lächelte verlegen.

»Nur einmal habe ich so eine gesehen«, fuhr er fort, während er schmatzte, »und ich sage dir, bombig, sogar besser als die von Michele. Es war eine richtige blutige Sizilianerin, milchweiß, mit echten blonden Haaren, wie die Marilyn Monroe. Kannst du sie dir vorstellen? Das ganze Dorf war geil auf sie, obwohl jeder den Heiligen spielte.«

Ich sagte nichts, holte meine Pfanne aus dem verrosteten Metallschrank, der aus der Schlosserei des Betriebs zu stammen schien. Er wartete auf Bestätigung und schaute mich forschend an.

»Ah, ja, ich hab's vergessen, du lehnst so was ab. Du willst den großen, tapferen, treuen Ehemann spielen.« Er lachte laut. »Du Narr, noch nicht einmal die Mönche haben sich aus solchen Moralvorstellungen etwas gemacht und haben ganz schön herumgehurt. Und du kommst her und spielst den Heiligen.« Er lachte wieder.

»Glaubst du vielleicht, daß der Heilige Nicola nicht mit Frauen ging, weil er ein Heiliger war? Aber ich glaube, daß das bei dir eher eine Geldsache ist. Du willst jeden Pfennig sparen, damit die Alte zu Hause sich schöne Tage machen kann.«

Er war vergnügt.

»Vielleicht deine Frau auch«, rief ich schrill zurück, »vielleicht hat sie auch schon ihren Macker.«

Ich wußte, daß ich ihn damit beleidigt hatte. Es war mir aber gleichgültig.

Er stand auf und starrte mich finster an. Dabei fiel seine Gabel auf den Boden und klirrte nach.

»Sag das nicht noch einmal!« Mit der Zunge putzte er seine Zähne. »Ist das klar?«

»Wieso? Frauen sind aus Fleisch, wie du und ich.«

Seine Augen wurden zu Messern, die Lippen spannten sich, er stotterte.

»Was soll das? Hast du eine Mattscheibe heute morgen? Wenn du so stolz bist auf die knackige Blondine, warum erzählst du es nicht deiner Frau, wenn du zu Hause bist? Sag mir das, auf, erzähl!«

»Laß bloß meine Familie aus dem Spiel«, fauchte er, »laß das meine Sache sein, wie ich mit meiner Frau umspringe, ja?«

»Laß dann du auch meine Sache sein, ob ich meinen Schwanz in ein Eisenrohr reinstecken will, wie du eben, oder nicht!« Nun bebte auch meine Stimme.

»Vielleicht bist du schwanzlos.«

Der Ton seiner Stimme war sarkastisch. Ich spürte einen tiefen Haß, und wieder war ich soweit, die Kontrolle über mich zu verlieren. Obwohl wir seit zwei Jahren zusammenwohnten, vertrugen wir uns nicht und waren häufig kurz davor, daß wir uns tatsächlich schlugen. Und auch diesmal beruhigte uns der andere Zimmerkamerad, der die ganze Zeit auf seinem Bett lag und zuhörte.

Ich ging in die Küche, um zu kochen, und als ich mit dem Essen zurückkam, waren beide nicht mehr da. Ich setzte mich ans Fenster. Der Himmel war wieder halb bedeckt, mit blaugrauen Wolken, die mich zu Boden zu drücken schienen. Auf dem Platz flog die nasse Wäsche im Wind, ein Arbeitsanzug war vollgeblasen mit Luft und flatterte. Ich betrachtete ihn eine Weile, und er schien mir wie ein Mensch, der im Widerstreit war zwischen sich hier festhalten und wegfliegen; mit Fliegen wäre ich weit in der Ferne, am besten im Süden, wo unsere Mandeln blühen, wo Concetta ist. Und dort wäre ihr

Gesicht die Sonne, ihre warme Haut der Wind, der mich streichelt.

Ich ging auch zu Michele, der vor der Tür seines Zimmers saß. Die Frau lag auf seinem Bett, bereit. Ihre Haut war weich und warm, und vielleicht in einer Minute war ich fertig.

Concetta wird mir verzeihen. Ich habe es nicht mehr ausgehalten, und ich habe an sie gedacht.

Die Männer draußen vor den Baracken sprachen über die Frau. Ihre Augen glänzten, und ihr Lachen wirkte künstlich und übertrieben erregt.

Ich lief zum Dorfzentrum, und da war schon die andere Welt. Hinter den Gardinen das bläuliche Licht des Fernsehers, hier und da die ganze Familie, die brav und diszipliniert spazierenging. Das Caféhaus Schmintz war gestopft voll, hauptsächlich mit älteren Menschen.

Am anderen Dorfende stand der Kalabrier, bei Hansi und seinem Hund. Er spielte mit Fifi, während Hansi mit sich selbst sprach. Ich zögerte zu fragen, ob es etwas Neues bei ihm gebe. Er linste mich an und spielte mit dem Hund weiter. Hansi näherte sich mit erhobenem Finger.

»Deine Familie, gut?« fragte er. Seine Stimme war gedehnt. Er war betrunken und schwankte.

»Ja, ja, gut«, brachte ich trotzig hervor.

Der Kalabrier ließ den Hund laufen und äugte mich an, er war immer noch in angespanntem Zustand.

»Und Kinder, auch gut?« fragte Hansi.

»Moment, Hansi, ich Kollega spreche.«

Der Kalabrier stöhnte gequält.

»Ich hab' gestern noch den Meister erwischt, der Sauhund hat mit dem Kopf geschüttelt und hat gesagt: Mal sehen, komm' am Montag.«

Er erforschte mein Gesicht, ich schwieg.

»Ich glaub', ich krieg doch keinen Urlaub. Aber es macht nichts, ich fahre trotzdem heute abend mit dem Zug um 22.00 Uhr. Die sollen mich alle am Arsch lecken, ich fahre trotzdem, und wenn ich zurückkomme, sollen sie mir die Papiere geben. Es ist mir dann auch egal.«

»Ich kann für dich sprechen morgen, bei deinem Meister.«

»Danke.« Er glotzte auf den Hund und rief unerwartet: »Hoffentlich treffe ich sie nicht, die Hure.«

Hansi klopfte mir auf die Schulter.

»Was machen deine Kinder, gut? Alles gut, Familie?«

»Ja, gut, gut!« rief ich und holte die Zigaretten heraus. Ich bot ihm eine an und merkte, daß ich wieder zitterte.

»Ich weiß nicht, ob ich überhaupt wiederkomme«, sagte der Kalabrier, »wenn ich bloß eine Arbeit finden könnte. Mein Kind ist noch zu klein, und ich bin allein jetzt.«

Sein Gesichtsausdruck war finster.

»Drei Jahre waren wir verheiratet. Drei Jahre! Und sieben Jahre Deutschland.«

Er streckte seine kräftigen Arme und ballte die quadratische Hand zur Faust.

»Ich könnte alles kaputthauen. Alles!«

Seine Gesichtsmuskeln zitterten, und ich schien mitzuschwingen.

5

Der verdammte Gedanke verfolgte mich. Es war ein Trugschluß zu glauben, ein paar Jahre Deutschland, und schon kommt die Rettung, die Lösung aller Probleme.

Nichts kommt. Wenigstens für mich und meine Familie, eher für die, die an meiner Lage verdienen.

Für mich kommt etwas anderes: die Folter, die aus dem Tröpfeln auf das Blechdach der Baracke besteht, die sich in dem leeren Hof und den im Wind flatternden Hemden ausdrückt, die sich mit der Anwesenheit von Nutten und durch die einsamen Wege am Rheinufer verschärft.

Von Tür zu Tür bin ich gegangen und habe nach einer Wohnung für mich und meine Familie gebettelt; in der Hoffnung, daß jemand es wohl verstehen würde, zeigte ich ein Foto von den Kindern und Concetta und sagte: »Alles gut, Deutschland, alles, meine Familie allein, ich allein, zusammen Deutschland gut.«

Es will mir nicht in den Kopf. Keiner hatte eine Wohnung frei. Auch die Landsleute, die im Dorf wohnen und etwas Kontakt mit der Bevölkerung haben, vermögen nicht zu helfen. Einen ganzen Monatslohn habe ich versprochen für den, der für mich eine Wohnung finden kann.

Concetta wird es offenbar zuviel.

Aber nichts und wieder nichts.

Ich kriege Angst vor den Ferien diesmal. Auch früher ging ich in die Ferien mit einem komischen Gefühl im Magen, aber es war noch nie wie diesmal.

6

Ich halte es einfach nicht mehr aus. Noch fünf Wochen. Ich muß aber nach Hause, ich muß. Tagsüber habe ich den Kalabrier im Kopf, nachts Concetta.

Der Wind zischt nicht mehr gegen das Blechdach, er heult, er ist ein Wolf geworden, der nach mir jagt.

Ich weiß, was er will. Er will mir das einzige wegnehmen, was mir noch auf dieser Welt übriggeblieben ist.

Er will mir meine Familie wegnehmen. Er will, daß ich alleine bleibe, ganz allein in dieser schrecklichen Baracke, in diesem schrecklichen Betrieb. Das ganze Leben lang soll ich Säcke füllen, deren Inhalt ich gar nicht sehe. Das ganze Leben lang soll ich an der Sitzbank meine Freizeit verbringen, dort, wo ich hoffnungslose, winzige Kopfweiden sehen kann, die von Sumpfflächen langsam erdrückt werden. Er darf sie mir nicht wegnehmen, niemals!

Ich habe die ganze Nacht verbracht, ohne ein Auge zumachen zu können. Ich halte dieses heulende Blechdach nicht mehr aus. Ich fahre heim, jetzt, sofort.

Es fehlen zwar noch drei Wochen bis zum Urlaub, aber es hat keinen Sinn für mich zu warten. Die Firma kann mich mal, ich muß weg, ich muß. Ich muß meine Familie retten, bevor es zu spät ist.

Ich ahne es. Concetta schreibt zwar noch regelmäßig, ich hab's aber entdeckt. Sie fleht seit etwa einem Jahr nicht mehr, daß dies das letzte Jahr in Deutschland sein soll und ich unbedingt und endgültig nach Hause kommen soll. Sie schreibt nicht mehr: Du fehlst uns, komm, ich glaube zu sterben ohne Dich.

Sie schreibt nicht mehr: die Kinder vermissen Dich, ich such Dich im Bett, und Du bist nicht da. Aber ich warte sehnsüchtig auf Dich.

Ja! Ja, ja! Ich hab's nachgeprüft. Ich habe die letzten Briefe genau studiert. Sie schreibt nicht mehr: Wir brauchen Dich.

Ich hab's geahnt. Sie will auch abhaun! Sie hat genug, und ab!

Die letzten Nächte haben mir die endgültige Gewißheit gebracht. Das Blechdach heulte fürchterlich. Es heulte: Hahaha! Auch Concetta, Maria und Pippo. Hahaha! Jetzt bist du ganz allein! Jetzt weiß ich es. Sie wird mich verlassen. Vielleicht ist es auch ein langfristiger Plan gewesen: erst wird sie nicht mehr

schreiben, daß sie mich braucht. Dann wird sie schreiben, daß
ich nicht unbedingt in den Ferien nach Hause kommen muß.
Dann wird sie weniger schreiben, schließlich nicht mehr und
zum Schluß abhaun. Ich habe aber den Plan durchschaut. Ich
werde zu Hause noch rechtzeitig alles wieder zurechtbiegen.
Ich darf sie nicht verlieren. Sie sind die Einzigen, die mit mir
sind. Und sie werden mit mir bleiben, bis wir endlich aus der
schwierigen Situation heraus sind. Ich werde dafür sorgen. Ja!
Ja, ja! Ich werde dafür sorgen.

Vincenzo Minutillo
Der Fremde

Einmal fragte ich meinen Vater,
wie es denn so gewesen sei
damals,
als er
in Deutschland
in einer Fabrik arbeitete
und die Familie:
Frau,
drei Kinder,
in Italien lebte.

Seine Miene wurde ernster,
und er erzählte
von dem Schmerz, den er verspürte,
als er nach einem Jahr
heimkehrte
und die vierjährige Maria Pia,
das eigene Kind,
den Vater nicht erkannte
und aus Furcht
zur Mutter flüchtete.

In jener Stunde beschloß mein Vater,
nur noch
mit Familie
oder niemals wieder
nach Deutschland zu gehen.

Wir gingen
– im August 1960.

SÜHAN ŞEN
Einladung

Ich bin kein vorbeiziehender Reisender.
Auch kein Wirt, ich bleibe nicht bis zum Ende.
Nur ein Gastarbeiter, ein Fremder.

Komm, klopfe einmal an meine Tür.
Ich habe nur reine, saubere und menschliche Gefühle.
Ich lebe hinter Türen, die für Freunde offen sind.

Ich sehe keine Hautfarbe,
Frage nach keinem Ausweis,
Knüpfe kein Mißtrauensnetz.
Fremdheit in deiner Sprache ist nicht wichtig.
Schmerzen bringen Tränen,
Freundlichkeit trocknet die Augen.

Wenn du mich glücklich machen willst,
Kannst du ein paar freundliche Worte sagen
Und mir deine Hände reichen,
Das vom Herzen kommende Lachen
Soll mir sagen:
MEIN FREUND! . . .
Ich bin ein Fremder.
Ich möchte

             SEHEN   SPRECHEN   HÖREN . . .
und
in diesem Land, das ein Symbol der Kultur ist,
möchte ich wie ein Mensch leben.
Das ist nur mit – Menschen – möglich . . .

Warum seht ihr uns nicht?
Was hat euch so blind gemacht?
Wo bleiben die schönen Worte in eurer Sprache?

Ihr habt Spuren gezeichnet
In den Bergen, im Flachland,
Im Wald, auch auf dem Fluß . . .

Aber . . . warum hören wir eure freundliche Stimme nicht?
Ihr seht aus wie wir, was seid ihr denn?

                                        Berlin 1978

DRAŠKO ANTOV
Wir kennen uns, Ausländer

AUSLÄNDER: Heute ist Sonntag, der 21. September 1975. Ein Tag wie jeder andere. Oder nicht? Und doch war es ein besonderer Tag für mich. Sicherlich werden Sie fragen: warum? Ich erzähle es Ihnen gleich! Ich war zu Besuch bei meinen Landsleuten. Sie wohnen in den Baracken außerhalb, dort, wo kein Deutscher wohnen will. Man sagt, die Gastarbeiter wollen *viel* Geld sparen – deshalb wohnen sie in solchen alten Baracken. Aber das stimmt nicht. Das wissen Sie ja selbst. Was kann ein Gastarbeiter tun, wenn von ihm eine astronomisch hohe Miete verlangt wird? Nichts. Entweder, er nimmt die Wohnung, oder bleibt in der Baracke und wohnt auch weiterhin in den miserablen Verhältnissen. Aber, liebe Hörerinnen und Hörer, darüber wollte ich eigentlich nicht sprechen. Ziel meines Erzählens ist, was heute geschehen ist. Stellen Sie sich mal vor, daß ich meinen Besuch beendet habe und mich auf dem Weg zur Straßenbahnhaltestelle befinde.

POLIZIST: Hei, Sie!
A: Meinen Sie mich?
P: Ja. Wir kennen uns doch?
A: Keineswegs.
P: Doch!
A: Warum sollten wir uns kennen?
P: Ihr Gesicht kommt mir sehr bekannt vor. Die Stimme auch.
A: Ein Irrtum.
P: Woher kenn' ich Sie bloß?
A: Ich glaube, Sie irren sich. Ich habe Sie nie gesehen.
P: Ich vergesse nie Gesichter, die ich einmal gesehen habe. Das liegt schon in meinem Beruf.
A: Das kann wohl stimmen, aber in diesem konkreten Fall haben Sie mich sicherlich mit jemandem verwechselt.
P: Unmöglich. Bei mir passiert so was nie. Zeigen Sie mir bitte Ihren Ausweis.

A: Warum wollen Sie ihn sehen?

P: Weil ich ein Polizist bin. Hier ist *mein* Ausweis, damit Sie Bescheid wissen.

A: Polizist in Zivil. Spionieren Sie vielleicht ausländischen Arbeitnehmern nach, die in schmutzigen Baracken wohnen?

P: Ach was! Ich bin zufällig hier vorbeigegangen. Um präziser zu sein, besuchte ich einen Kollegen von mir, der in der Nähe wohnt.

A: Da kann man wirklich von Zufall sprechen. Ich habe *auch* meine Kollegen besucht, die drüben in den Baracken wohnen.

P: Sooo. (PAUSE) Ich hab' Sie nach Ihrem Ausweis gefragt. Zeigen Sie ihn mir mal vor.

A: Muß es unbedingt sein?

P: Ja. Ich will genau wissen, wer Sie sind.

A: Ich kann es Ihnen sagen. Aber Sie glauben mir sowieso nicht. Einem Gastarbeiter glaubt leider niemand.

P: Glauben ist gut, Kontrolle ist besser, sagt unser Sprichwort. Her damit!

A: Wenn's sein muß – na, bitte. Hier ist mein Paß.

P: (BLÄTTERT) Nikola Amirovski, Geburtsort Skopje, Jugoslawien ... Ach, jetzt kann ich mich erinnern! Ihre Aufenthaltserlaubnis war ungültig gemacht worden, und Sie wurden aufgefordert, dieses Land innerhalb von 24 Stunden zu verlassen, weil Sie 3 Monate ohne Arbeitserlaubnis gearbeitet hatten. Ich hatte Sie selbst zum Bonner Flughafen gebracht, nicht wahr?

A: Sie haben mich sogar bis zum Sitzplatz im Flugzeug gebracht.

P: Na also! Jetzt geben Sie zu, daß wir uns wirklich kennen.

A: Ja. Leider, durch unangenehme Umstände.

P: Das war vor etwa 4 Monaten. Und nun sind Sie wieder da, obwohl Sie für ein Jahr Einreiseverbot haben. Sie haben gegen das Ausländergesetz verstoßen, und ich muß Sie deshalb verhaften.

A: Und wenn ich hier als Tourist bin?

P: Ja. Aber wie sind Sie über die Grenze gekommen?

A: Ganz einfach.

P: Wie denn?

A: Über die Schweiz. Zuerst mit dem Zug bis Basel. Da habe ich an dem Grenzübergang eine deutsche Familie mit dem Lörracher Autokennzeichen gefragt, ob ich mitfahren könnte. Ich gab an, daß ich wegen meines Wagens dringend nach Lörrach mußte.

P: Warum haben Sie gerade eine Lörracher Nummer ausgesucht?

A: Weil Lörrach an der Schweizer Grenze liegt und die deutschen Zollbeamten nicht immer in die Ausweise schauen, wenn ein Auto mit Lörracher Nummer an den Grenzübergang kommt.

P: Woher wußten Sie das?

A: Ein Freund von mir erzählte mir über die Möglichkeit, die Grenzkontrolle bei Lörrach und Weil am Rhein zu umgehen. Mein Freund hat dort eine Freundin, ich meine eine Deutsche, und sie fahren öfters nach Basel und zurück.

P: Das war sehr mutig von Ihnen.

A: Nicht wahr? Und jetzt, durch einen Zufall, treffen wir uns wieder. Die Welt ist klein geworden.

P: Als Sie hierher kamen, dachten Sie nicht daran, daß Sie mich wieder treffen werden, wie?

A: Nee. Das wäre das Letzte, was ich mir hätte wünschen können. Nun, verhaften Sie mich schon, das macht uns überhaupt nichts aus!

P: Wen meinen Sie mit UNS? Wieviele seid ihr als »Touristen« hier?

A: Bis zur Straßenbahnhaltestelle ist es noch ein ganz schönes Stück zu laufen. Unterwegs können wir gemütlich alles besprechen, was uns auf dem Herzen liegt. Sie haben doch nichts dagegen, wenn wir uns langsam auf den Weg machen, Herr Polizist?

P: Schon gut, schon gut! Gehen wir. Aber versuchen Sie nicht, mir dabei zu entwischen. Keine faulen Tricks, sonst . . .

A: Ich habe Ihnen nichts getan!

P: Nein. Und das ist gerade Ihr Glück.

A: Kein Gastarbeiter hat direkt etwas gegen die Polizei getan. Das müssen Sie zugeben. Tatsächlich wollen sie so wenig wie nur möglich mit der Polizei zu tun haben. Obwohl sie in vielen Fällen Recht haben, verzichten sie lieber darauf aus Angst vor der Polizei.

P: Weswegen fürchten sich die Gastarbeiter vor uns?

A: Einfach wegen ihrer Aufenthaltserlaubnis. Jeder Konflikt mit dem Gesetz wird als Vorwand dafür ausgenutzt, den ausländischen Arbeitnehmer nach Hause zu schicken.

P: Vor dem Gesetz sind die Ausländer und die Deutschen gleich. Es werden keine Unterschiede gemacht.

A: In der Praxis sieht es ganz anders aus.

P: Die Gastarbeiter verstoßen häufig gegen unsere Gesetze: durch Diebstähle, Fahren im betrunkenen Zustand, Vergewaltigung, falsche Papiere ...

A: Tun das die Deutschen etwa nicht? Sie lesen wohl keine Zeitung ... Ich, übrigens, gehöre nicht dazu.

P: O doch! Sie haben ohne Erlaubnis gearbeitet und somit gegen das Gesetz verstoßen ... und daß Sie überhaupt hier sind, ist schon wieder eine Verletzung des Gesetzes! Nach dem Paragraph 16, Absatz 1 des Ausländergesetzes muß ich Sie sofort verhaften und aus der BRD ausweisen ... (PAUSE) Dieser Paß ist neu ausgestellt worden, am 2. September 75, also vor etwa 3 Wochen.

A: Ja.

P: Wo ist Ihr alter Paß?

A: Ich hab' ihn verloren.

P: So! Wohl absichtlich, wegen der Vermerke, die drin waren und die in dem neuen Paß nicht mehr aufgeführt sind?

A: Mit dem neuen Paß habe ich kein Gesetz verletzt, Herr Polizist.

P: Nein. Und jetzt – was machen Sie hier? Schwarzarbeiten?

A: Können *Sie* ohne Arbeit leben?

P: Warum haben Sie sich nicht bemüht, eine Stelle in Ihrer Heimat zu finden? Das wäre wohl besser für Sie gewesen. Außerdem würden Sie dort glücklicher leben als hier.

A: Glauben Sie, daß ich mich nicht bemüht habe? Sie wissen nicht, wie sehr ich mich bemüht habe! Vergebens! Auch dort gibt es viele Arbeitslose, die monatelang auf eine Arbeit warten.

P: Wie wär's mit der Firma, bei welcher Sie gearbeitet haben, bevor Sie nach Deutschland kamen? Haben Sie es da versucht?

A: Keine Chance, Herr Polizist, keine Chance. Alle Stellen sind besetzt. Niemand will die Firma verlassen, um den Platz für mich wieder freizumachen. Das kann man auch von niemandem und nirgendwo verlangen oder erwarten. Ich hatte seinerzeit aus freien Stücken meine Stelle aufgegeben, weil man mir hier größere Vorteile geboten hatte. Jetzt bin ich weder hier noch dort. Ich hänge sozusagen in der Luft.

P: Was sind Sie von Beruf?

A: Bauarbeiter.

P: Bauarbeiter?

A: Sie glauben mir nicht, was?

P: Der Grund dafür ist meine Bewunderung Ihrer Deutschkenntnisse. Sie sprechen doch ausgezeichnet Deutsch!

A: Als ich noch zu Hause lebte, starb mein Alter, bevor ich die
mittlere Reife erreicht habe. Jemand mußte für die Familie
sorgen; so wurde ich Bauarbeiter. Als Bauarbeiter fing ich
auch in Deutschland an. Nachdem ich etwa ein Jahr bei der
Baufirma Holzmann & Co tätig war, fühlte ich mich ohne
Deutschkenntnisse unterbewertet und ausgenutzt. Deswegen besuchte ich regelmäßig Abendkurse für die deutsche
Sprache.

P: Sehr vernünftig.

A: Daraufhin wurde ich bei der gleichen Firma als Dolmetscher
eingesetzt. Leider machte die Firma Anfang dieses Jahres
pleite. Wenn die Landsleute erst weg sind, dann braucht man
auch keinen Dolmetscher, und eine Stelle als Bauarbeiter zu
finden, wird immer schwieriger.

P: Die Konjunkturentwicklung zeigt, daß die Zeiten der gutbe-
zahlten Stellen vorbei sind.

A: Mit uns ausländischen Arbeitnehmern sieht's besonders
schlimm aus. Wir sind jetzt den Deutschen zur Last geworden.

P: Sie müßten sich im klaren darüber gewesen sein, daß Sie
eines Tages sowieso nach Hause hätten gehen müssen.

A: Natürlich. Aber nicht auf diese Art und Weise, wie es jetzt
geschieht: die Deutschen haben den Vorrang für die neuen
Arbeitstellen, und in den Städten wie Stuttgart, München
und Frankfurt gibt's Verbot für die Anstellung ausländischer
Arbeitskräfte. Warum hat man in Bonn nicht rechtzeitig
daran gedacht, daß das Wirtschaftswunder nicht ewig dauern kann? Man hätte nicht so viele Menschen aus aller Herren Länder hier umpflanzen dürfen, nur um sie, wenn sie
hier Wurzel geschlagen haben, wieder aus dem hiesigen Boden zu rupfen und über den Zaun zu werfen.

P: Nicht *ich* habe die Vorschriften gemacht.

A: Sie nicht. Sie sind nur ein Instrument des Gesetzes ... Diejenigen, die jetzt auf uns schimpfen und verlangen, daß wir
fortgehen, vergessen, daß wir ihnen einst geholfen haben.
Den deutschen Wohlstand haben wir mit unserem Fleiß und
Schweiß mitgebaut, aber kaum mitgekostet.

P: Aber ...

A: Aber was? Die deutsche Wirtschaft brauchte seinerzeit frische, gesunde Arbeitstiere. Man versprach uns die besten Verdienstmöglichkeiten und noch alles mögliche andere. Wir kamen treuherzig und schufteten, ohne es zu merken, wie manch einer ausgenutzt und ausgebeutet wurde. Aber jetzt, als die Zeiten sich verschlechtert haben und die Arbeitslosigkeit um sich greift, da sind wir auf einmal nicht mehr gut genug, sind unerwünscht und müssen weg! Mit welchem Recht?

P: Fragen Sie *mich* nicht, *ich* kann Ihnen keine Antwort darauf geben.

A: Warum nicht? Haben Sie Angst vor der Wahrheit?

P: Mann, was soll das? Was nutzt Ihnen Ihre Wahrheit?

A: Um etwas zu beweisen.

P: Was wollen Sie mir beweisen?

A: Daß wir als Menschen dritter Klasse behandelt sind, und daß das Ausländergesetz von den zuständigen Behörden nach ihrem Belieben ausgelegt wird.

P: Über solche Dinge können *Sie* sich kein Urteil erlauben. Inzwischen sind übrigens neue Regeln für die Ausländer geschaffen worden.

A: Was Sie nicht sagen! Für uns Ausländer sind immer neue Regeln da. Mit schönen Worten habt ihr uns hierhergelockt, damit wir niedrige Dienste zu verrichten. Währenddessen haben viele Deutschen das Schuften verlernt.

P: So seid ihr Ausländer: rechthaberisch, eingebildet und voreingenommen.

A: Ihr Ausländer, ihr Ausländer! Es ist zum Kotzen, wenn man es heutzutage hört. Das ist schlimmer als ein Schimpfwort. Wissen Sie nicht, Herr Polizist, daß auch wir Menschen sind ... sentimental, mit Gefühlen, Hoffnungen ...

P: Haben Sie nicht etwas vergessen?

A: Was denn?

P: Daß ihr Tücken habt!

A: Ja, mit Tücken auch. Und wissen Sie, warum?

P: Bin sehr gespannt zu hören.

A: Weil Ihre Gesetze uns gegenüber tückisch sind.

P: Reden Sie bloß keinen Quatsch!

A: Es ist kein Quatsch. Sehen Sie mal, zum Beispiel meinen Fall. Ich bin seit 6½ Jahren in Deutschland. Nach dem Gesetz habe ich ein Recht auf unbefristete Arbeitserlaubnis.

Und doch hat man meinen Antrag auf eine Verlängerung derselben abgelehnt. Was blieb mir also übrig . . .

P: Das hatte sicherlich seinen Grund.

A: Der einzige Grund ist, daß die Behörden uns Ausländer loswerden wollen.

P: Wir müssen die Arbeitsplätze für unsere Bürger sichern.

A: Und was ist mit uns?

P: Sie hätten eines Tages so oder so nach Hause zurückkehren müssen, oder?

A: Ja, aber nicht gezwungen nach Hause zurückkehren müssen!

P: Dann sollen Sie freiwillig gehen. Es ist besser.

A: Wohl: freiwillig-gezwungen? Sie müssen mich doch verstehen. Wir haben in diesem Lande ein Stück von uns hinterlassen, ein Stück unseres Lebens, unserer Jugend, das meist mit Enttäuschungen aufgefüllt wurde.

P: Als Sie hierher kamen, dachten Sie vielleicht, hier fielen gebratene Täubchen vom Himmel?

A: Nein, aber . . .

P: Aber was?

A: Nichts . . . Menschlich müßte man sein, Herr Polizist. Mir scheint, ihr Deutschen richtet euch nur nach den Paragraphen der Gesetze.

P: Wo kämen wir hin, wenn wir nicht das täten, was unsere Gesetze vorschreiben? Ordnung muß sein.

A: Ich verstehe; alles vorschriftsgemäß: »Parken verboten«, »Spielen verboten« . . . Und in der Zeitung gibt es Anzeigen mit dem Vermerk: »Kein Ausländer.« Ist es auch ordnungshalber?

P: Wenn es Ihnen hier nicht gefällt, warum kommen Sie erst überhaupt und beschweren sich danach?

A: Man darf doch die eigene Meinung sagen. Dies ist ein demokratisches Land, wo man sich ohne Angst äußern darf.

P: Das heißt aber nicht, daß man unsere Demokratie zerstören darf!

A: Keiner will hier etwas zerstören. Man könnte eher sagen, daß in diesem Lande mit all seinen demokratischen Gesetzen manch einem von uns sein Leben, sein Familienglück und seine Liebe zerstört wurden.

P: Wissen Sie überhaupt, was Sie da sagen?

A: Ja, ich weiß es. Auch meine Liebe haben Ihre Paragraphen und die bürokratische Sturheit für immer zerstört.

P: Ich verstehe Sie nicht.

A: Ich will es Ihnen genau erklären. Erinnern Sie sich an den Fall von Ljubica Skerić vor einem Jahr?

P: Ja, ich erinnere mich gut daran. Sie wurde in ihrer Zelle im Gefängnis Klingelpütz tot aufgefunden.

A: Ja, genau so war es.

P: Was haben *Sie* damit zu tun?

A: Sie war meine Freundin. Wir liebten uns, und sie wollte bei mir bleiben, aber weil die Behörden so genau nach den Paragraphen handelten, nahmen sie keine Rücksicht auf die menschlichen Gefühle.

P: Soviel ich weiß, sollte sie ausgewiesen werden, weil sie zwei Jahre schwarz gearbeitet hatte. Für so was gibt es keine Entschuldigung!

A: Sie war unschuldig! Die Schuld trägt der Besitzer des Restaurants, wo sie gearbeitet hatte. Sie hatte ihm ihre Lohnsteuer- und Versicherungskarte sowie ihren Paß abgegeben, weil er das von ihr verlangt hatte. Er sagte, er würde sich um alles kümmern. Als sie erwischt wurde, bestritt er das natürlich.

P: Nun machen Sie mal einen Punkt! Sie hätte selbst um ihre Papiere Sorge tragen müssen.

A: Sie vertraute aber ihrem Chef, tat ihre Pflichten und glaubte, daß alles in Ordnung sei. Nicht mal ich wußte, daß sie ohne eine Arbeitserlaubnis beschäftigt war ... bis die Polizeikontrolle sie eines Tages aufgespürt hat. (PAUSE) Man steckte sie ins Gefängnis wie einen Verbrecher, und sie nahm sich das Leben ... Ihr Arbeitgeber kam glatt davon. »Die Kleinen hängt man, die Großen läßt man laufen.«

P: Sie sollen nicht die Schuld den anderen in die Schuhe schieben.

A: Sie tun unrecht, wenn Sie so was sagen, Herr Polizist. Wir waren den Launen eines jeden ausgeliefert. Niemand hat uns über unsere Rechte und Pflichten beraten.

P: Darüber ist sehr viel gesprochen worden ...

A: Neuerdings ja, aber früher nicht. Meine Firma erledigte grundsätzlich alle Formalitäten für die Gastarbeiter. Aber nicht alle Unternehmen kümmerten sich darum. Man ist mit der Zeit schlampig geworden, besonders in der Gastronomie.

P: Jetzt wird alles genau geprüft.

A: Das nützt mir überhaupt nichts. Mein Mädchen ist tot.

(PAUSE) Sie sang oft, weil sie glücklich mit mir war. Eine reizende Stimme hatte sie ...

P: Sie sind jung und intelligent. Sie werden sicherlich bald ein anderes Mädchen finden und lieben.

A: Leicht dahingeredet! Wir sind doch keine Rindviecher: die Kuh ist weg, dann nehme ich die nächste beste ... Es geht um ein Menschenleben, das wegen der bürokratischen Sturheit der Behörde zu Grunde ging. Weil man so streng nur nach den Buchstaben des Gesetzes gehandelt hat.

P: Für das Verletzen des Gesetzes gibt es keinen Pardon.

A: Ja, ja. Die alte kaiserliche Disziplin und Achtung vor den Vorschriften! Dafür seid ihr Deutschen überall bekannt. Aber in den Jahren 1968 und 1969, als man massenhaft Arbeitskräfte aus dem Ausland anforderte, da hat man es mit dem Gesetz nicht so genau genommen wie jetzt. (PAUSE) Wenn ich Sie nun bitten würde, mich laufen zu lassen, als ob Sie mich gar nicht gesehen hätten, Sie würden es nicht tun, nicht wahr, Herr Polizist?

P: Nein. Es ist meine Pflicht, Sie zu verhaften und aufs Polizeirevier zu bringen. Erwarten Sie nicht von mir, daß ich meine Vorschriften verletze.

A: Das hab' ich nicht erwartet. Ich frage mich nur, wie Sie mit Ihrem Gewissen zurechtkommen, wenn Sie einen Menschen auf diese Weise unglücklich machen.

P: Pflicht und Gewissen sind zwei verschiedene Begriffe ...

A: Schauen Sie mal her auf meine linke Hand. Fällt Ihnen etwas auf?

P: Sicher. Ihnen fehlen zwei Finger.

A: Wissen Sie, was geschehen ist?

P: Nein. Woher denn auch?

A: Die hab' ich beim Aufbau Ihres Wohlstandes verloren, damit heute die Deutschen in Bequemlichkeit und Luxus leben können. Es heißt, daß wir Ausländer die gleichen Möglichkeiten und Rechte haben wie ihr. Aber unsereiner, ob Arbeiter oder Akademiker, wird abwertend behandelt. Es genügt ein kleiner, unbedeutender Fehler, und schon wird die bürokratische Maschinerie in Bewegung gesetzt. Ich fühle mich wie ein Sklave, wie ein Neger, der keine Rechte und Privilegien hat. Ich sage es Ihnen ganz laut und deutlich, weil ich keine Angst vor Ihnen habe, Herr Polizist. Nicht mehr. Warum auch? Ich habe nichts mehr zu verlieren.

P: Sie übertreiben gewaltig.

A: O nein! Sagen Sie mir: wodurch unterscheide ich mich von einem Engländer, Franzosen oder auch einem Italiener? Durch nichts. Nur sprachlich. Und doch werde ich als Jugoslawe anders als die westlichen Gastarbeiter behandelt, weil mein Land nicht zur EG gehört. Und wo bleibt die Gleichberechtigung, wenn man sogar bei den Gastarbeitern die I. und II. Klasse unterscheidet? Obwohl man hier, genau genommen, für keinen von beiden was übrig hat. Die einen sind Spaghetti-Fresser, die anderen Sliwowitz-Säufer . . .

P: Ich glaube nicht, daß alle Gastarbeiter nur schlechte Erfahrungen gemacht haben.

A: Warten Sie mal einen Augenblick! Allein schon das Wort »Gastarbeiter« ist eine schmähliche Erfindung. Entweder ist man ein Gast oder ein Arbeiter. Gäste sind wir in diesem Lande nicht, denn die Gäste werden anders behandelt. Wir bekommen nichts umsonst. Man macht es uns nicht bequem. Wir schuften, verdienen und kaufen ein. Wir zahlen die gleichen Abgaben wie die Deutschen: Steuer, Rentenversicherung, Arbeitslosenversicherung – und weiß Gott was noch. Wo die Saison jetzt vorüber ist, werden die »gastierenden« Arbeiter vor die Tür gesetzt. Wer nicht von selber verschwindet, bei dem findet man halt einen Haken und weist ihn aus. Ein feines Gastland ist Deutschland!

P: Warum haben Sie das nicht alles erzählt, als wir Sie damals verhaftet haben?

A: Wem sollte ich es erzählt haben? Niemand hätte auf mich gehört. Man hat mich behandelt wie einen Verbrecher.

P: Ich kann Ihre Enttäuschung völlig verstehen. Ich werde versuchen, Ihnen zu helfen.

A: Ach wozu? Ich sagte Ihnen schon: niemand glaubt einem Gastarbeiter.

P: Ich kann Ihnen nichts versprechen, aber versuchen werde ich es trotzdem.

A: Das ist fast nicht zu glauben.

P: Was denn?

A: Sind Sie schwach geworden?

P: Das nicht, aber ich versuche anders zu denken, als es üblich ist.

A: Versuchen Sie's nur! Ein Versuch kostet ja nichts. Aber ändern können Sie nichts. Ich habe Ihnen jedenfalls alles erzählt. Jetzt können Sie mich festnehmen . . . Machen Sie jetzt mit mir, was Sie wollen . . .

P: Hier kommt die Straßenbahn. Steigen wir ein!

A: Komisch ist das.

P: Was ist dabei komisch?

A: Wir wollen das Gute und wissen nicht, wie wir es anstellen sollen, damit wir es erreichen. Wir wittern, daß etwas nicht stimmt, aber wissen nicht genau, was es ist. Wir kriegen nachher ein schlechtes Gewissen, das uns zeigt, daß etwas, was wir gemacht haben, nicht gut war ... und dabei bleibt's!

Dora Ott
Der große Traum

Die Küche – die war der alten Frau am meisten verhaßt: das winzige Loch ohne Fenster, wo sie immer nur bei elektrischem Licht arbeiten konnte. »Kochnische« sagte ihr Schwiegersohn dazu – und es klang, als ob er ihr damit die Herrlichkeiten eines Königsschlosses beschreiben wollte. Für sie dagegen hatte dieses Wort etwas Unheimliches, Klebriges an sich, und klebrig war auch alles in der Nische, denn die Kochdämpfe hafteten an jedem Gegenstand und machten das ewige Putzen vergeblich. Ja, die finstere Kochnische ... Sonnig war die Altbauwohnung im vierten Stock sowieso nicht, aber vom Wohn- und Schlaf- zimmerfenster aus konnte man wenigstens auf einen ziemlich breiten Hinterhof hinunterschauen, wo an einem schmalen Ra- senstreifen Blumen wuchsen. Welche Art von Blumen – die Alte konnte es nicht genau ausmachen, sie waren so weit unten – weiß und gelb, sie dachte an die Jasminfelder zu Hause, an die Ginsterpolster am kahlen Hügelhang. Blumen hatte sie auch kaum in den zwei Kästen auf ihrem Balkon, aber verschiedene Kräuter: auch die waren ziemlich kümmerlich, aber irgendwie gelang es ihr doch immer, sie über den rauhen Winter durchzu- bringen, worauf sie besonders stolz war.

Andere Gründe zum Stolzsein hatte sie sonst kaum, alles schien hier in dieser grauen Wohnung, mitten in der grauen Stadt, unter dem meistens bleiernen Himmel zu verkümmern. Nicht nur die Blumen, auch das Licht, die Gerüche – alles hatte etwas Fahles an sich, es fehlte die Intensität des Lebens, die sie von früher kannte. Und die Menschen, die verkümmerten auch – sie dachte, es sei der schlechten Großstadtluft und des kalten, endlosen Winters wegen. Die zwei Enkelkinder, deretwegen sie hier in Deutschland festgehalten wurde, waren blaß, hochge- schossen, merkwürdig selbstbewußt und irgendwie fremd: nur ihr lustiges Lachen und der wache, neugierige Blick unter den Locken beruhigten sie ein wenig und trösteten sie darüber hin- weg, daß sie untereinander immer nur deutsch sprachen und den heimischen Dialekt fast völlig vergessen hatten. Die Toch- ter und der Schwiegersohn kamen abends nach Hause, die Ar- beit war anstrengend gewesen in der lauten, staubigen Halle. Sie aßen gleichgültig, was in den Teller kam, sprachen ab und zu über etwas Belangloses ... Angespannt lauschte die Alte immer wieder, ob heute endlich mal über den großen Traum gesprochen werde – meist vergebens – dann schaltete das ältere Kind den Fernseher ein; die fremde Sprache, die sie nicht verstand, drang in die alten Ohren, die eben gesagten, vertrauten Worte verdrängend. Doch je weniger sie mit den Ohren begriff, desto intensiver mit den Augen, die – weit aufgerissen – die dahineilenden Bilder einsogen.

An den großen Traum zu denken und fernzusehen, das war ihr Trost – und beide Sachen waren natürlich eng miteinander verbunden. Oft wartete sie eine, zwei Stunden vergebens (manchmal einen ganzen Abend), aber dann – plötzlich stand es da – das schöne Haus von ihrem Traum, mit dem flachen Dach und den Fenstern, die sich vor der Hitze hinter hölzernen Läden verbargen, mit dem Gemüsegarten daneben, wo die Tomaten rot unter den Blättern schaukelten und die Kräuter so üppig und grün wie eben nur in einem Traumgarten wuchsen. Das Haus vom großen Traum, es war jedesmal ein bißchen anders – aber doch stand es da, am Rande ihres Dorfes, von dem man ab und zu auch ein paar Ansichten bekam – die Kirche, der steile Weg hinunter zu den Feldern ... *Ihr* Haus, wo sie ihre kümmerliche Familie hinzuführen wünschte, damit sie wieder aufblühe und wachse, bei Wein und Sonne und bescheidener Lebensfreude.

Umsonst lächelte der Schwiegersohn ihr milde zu, indem er mit Kopfschütteln ihr aufgeregtes, verklärtes Gesicht betrachtete; die Tochter seufzte eher ungeduldig und biß sich in die blassen Lippen. Umsonst lachten sie die Kinder jedesmal aus und wiesen sie zurecht: »Nonna ... wenn der eben gesagt hat, es ist ein Dorf in Griechenland! Weißt du, wo das ist?« Die Narren – sie wußte es doch – und besser als sie, daß das ihr Dorf war und das ihr Haus: das Haus, das sie noch als Rohbau zurückgelassen hatte, als sie nach Deutschland kam, um für ihren Mann, der inzwischen verstorben, und für die Tochter und für die Kinder den Haushalt zu führen. Ein Rohbau, bis dahin hatte es ihr Mann gebracht und dann war er plötzlich gestorben. Jetzt ruhte er in der Nähe des Hauses und wartete darauf – sie wußte es –, daß es endlich fertig würde, damit sie einziehen können, damit alles wieder in Ordnung sei. Ein anderes Dorf – die Dummen! Hatte sie nicht einmal sogar den Friedhof gesehen, hoch auf dem Felsen, und das Meer dahinten und die Rosmarinsträucher blühend zwischen den Gräbern?

Sie wußte es besser: das Haus war schon längst fertig, warum zögerten sie noch? Wollten sie vielleicht noch etwas anbauen, das Haus noch größer und stattlicher machen ... Liebe Kinder – aber sie war alt und ungeduldig, sie hatte nicht mehr viel Zeit ... Sie schaute mit fragendem Blick im Kreis herum: die Buben kicherten und wandten sich wieder dem Bildschirm zu, der Schwiegersohn schüttelte immer noch den Kopf, die Tochter sah verlegen weg.

Mamma, schrie es aus ihr lautlos heraus – Mamma, das Haus gibt's nicht! Der Rohbau, brüchig, vom Unkraut zerfressen die Mauern, die Pfosten strecken sich schwarz zum Himmel hin. Mamma, wozu ein Haus – die Kinder wollen von hier nicht weg, der Mann wird bald Vorarbeiter und ich ... – Wut und Verzweiflung schauen aus ihren Augen – soll ich wieder in schwarzem Rock auf das Feld gehen, Jasminblüten pflücken die ganze Nacht für ein paar tausend Lire? Die ganze dunkle Nacht ... noch einmal in das weißschimmernde Meer des Jasmins stürzen, sich vergessen in dem betörenden Duft ... Das Haus – Mamma, wir bleiben hier! Bleiben wir doch hier, Mamma, fleht es jetzt aus ihr heraus – lautlos, während sie sich in die blassen Lippen beißt.

SOON – IM YOON
Ein Behördenbrief

Ein Behördenumschlag,
rot, viereckig
gedruckt frankiert.
Von der Uni, vom Rathaus?

Muß,
muß ich vielleicht
weggehen von hier?
So plötzlich, warum?

Über den
geöffneten Büchern,
schwimmenden Papieren
grau zitternde Sekunden.

N-e-i-n!
Exkursionsangebote,
Informationsreise nach Berlin,
Kulturbad in München . . .

Notiere, du Ängstliche
diese Termine
auf die grauen Sekunden
mit sonnigen Farbstiften.

Auf dem Tisch
blüht die Blumenknospe,
die eine deutsche Bekannte
mir schenkte.

FRANCO BIONDI
Unsicherheit

meine aufenthaltserlaubnis
läuft ab
im nächsten monat
                    ob sie sie mir verlängern
eigentlich
bin ich ein typischer gastarbeiter
                    ruhig und brav
ich bin regelmäßig arbeiten gegangen
ich bin noch nie unangenehm aufgefallen
                    die unsicherheit des bleibens
                    sitzt auf meinem nacken
bis dahin
wird mich noch einmal
die unsicherheit plagen:
                    ob das bild
                    das sie sich von mir
                        gemacht haben
                    meine aufenthaltserlaubnis
                        genehmigt
                    ob der profit
                    den sie sich von meinen muskeln
                        noch versprechen
                    meine aufenthaltserlaubnis
                    genehmigt
noch einmal
bis zum nächsten mal

PIERRE BLITHIKIOTIS
ausländerbehörde

ein schwarm fliegen fällt in die finsternis ein.
drängt ans licht, stößt sich an mauern.
das licht ist draußen, abgetrennt durch erblindetes glas.

die griffe der fenster sind abmontiert,
um zwischenfälle zu vermeiden. es könnte ja sein,
daß jemand nach draußen schreit,
irgend etwas unflätiges oder herausstürzt.

hocken entlang den wänden aus waschbeton, wie
auf einer dschunke, unterwegs nach nirgendwo,
hier im sing-sing ihrer träume und hoffnungen.
warten, rauchen, warten, warten auf die
quäkende unverständliche stimme im lautsprecher;
dieser abfallhaufen verschlagener,
zusammengekehrt aus allen winkeln der erde.
jeder vierte heraustreten zur exekution!
ob es mich trifft, oder nr. 2601 mit türkischem pass?

ein ort, an dem ich nicht einmal pinkeln würde.
die toiletten können nur von den angestellten
geöffnet werden; sie defilieren voll abscheu.
wenn sie mal müssen, schließen sie sich von innen ein.

der aufzug darf nicht benutzt werden; er ist
lediglich für den transport von akten bestimmt.
die schmutzige wäsche der akten – chemische
reinigung zwecklos – wird waschkorbweise
von einem zimmer ins andere hin und her geschoben.

heilige johanna der schlachthöfe, warst du auch hier?
pierre blithikiotis – griechischer pass – kommen
zimmer 2, 5, 6 – ihre frist ist auf 3 jahre verlängert!

Vorbemerkung:
In Herrn Lis Heimat hat man die Überzeugung, im Westen sei
einfach alles in Ordnung, sogar der Mond sei dort runder. Als
Fremder hat Herr Li hier folgendes erlebt.

Im Wartezimmer der Gesundheitsbehörde

L: Li, der zu Untersuchende
A: der Angestellte

A: (Er spannt das Formular in die Schreibmaschine.)
   Ihr Familienname, bitte?
L: Li.
A: Vorname, bitte?
L: Dong.
A: Ihr Geburtsdatum, bitte?
L: 3. 10. 1945.
A: Ihr Geburtsort, bitte?
L: Peking.
A: (murmelnd) Staatsangehörigkeit – Vietnam.
L: Wieso Vietnam? China!
A: Ach, China, das kenne ich. Bei Ihnen soll man gegen die
   Amis gekämpft haben. Die Amis haben alles kaputt ge-
   macht. Keine Wohnung, kein Essen, alles total kaputt. Ach,
   wie schrecklich!
L: Wie bitte? Bei uns? Die Amis? Wann?
A: Das war vor 10 Jahren etwa, glaube ich.
L: Das geht doch nicht mit rechten Dingen zu. Meinen Sie
   nicht vielleicht den Krieg in Vietnam, in Indochina?
A: Ja, ja, China, Indochina, stimmt, stimmt, aber das muß doch
   sehr nah beieinander liegen, oder?
L: Ja . . .
A: Na, nun nehmen Sie bitte dieses Formular mit und gehen
   Sie zu Frau Doktor Binnemayer, Untersuchungsraum
   GK 131.
L: Aber können Sie mir bitte sagen, wo meine Gesundheitsbe-

scheinigung ausgestellt wird? Ich brauche sie dringend für den Antrag zu meiner Aufenthaltserlaubnis.

A: Hat Ihnen Herr Doktor Stuckenfeld nicht gesagt, was mit Ihnen los ist?

L: Nein, er hat mich bloß mit diesem geschlossenen Brief zu Ihnen geschickt. Ich dachte, daß ich hier die Bescheinigung kriege.

A: Nein, die kriegen Sie bei ihm, normalerweise. Einen kleinen Moment. (Er zieht aus seiner Aktentasche einen mattschimmernden Beutel, macht ihn in aller Ruhe auf: ein belegtes Brot.) Entschuldigen Sie, ich habe noch nicht gefrühstückt. Der Film war so gut. Wo sind wir stehengeblieben? Ach so, ja, tut mir furchtbar leid. Bei Ihnen muß der Bluttest nochmals gemacht werden.

L: Wie bitte? Warum? Mir wurde doch schon vor drei Tagen genug Blut abgenommen!

A: Deswegen sage ich ja: nochmals. Tut mir sehr leid. Das Resultat des ersten Tests war nicht zufriedenstellend.

L: Wieso denn?

A: Auf dem Zettel ist kein Grund angegeben.

L: Wie lange dauert es diesmal wieder?

A: Bis nächste Woche, wenn es glatt geht.

L: Nächste Woche muß ich mit anderen Kollegen eine Dienstreise in den Norden antreten. Die Termine für die verschiedenen Verabredungen sind schon längst festgelegt. Ich darf nicht fehlen. Wenn ich wieder zurück bin, wird meine Aufenthaltserlaubnis schon abgelaufen sein.

A: Sie tun mir schrecklich leid, aber ich kann Ihnen nicht helfen. Sprechen Sie bitte mit Herrn Stuckenfeld mal darüber.

Im Büro von Herrn Doktor Stuckenfeld

L: Mir wurde mitgeteilt, ich müßte noch einmal einen Bluttest machen lassen. Ich habe sehr vieles vor ...

S: Jeder hat was vor. Aber wir sind der Gesundheitsbehörde und dem Polizeipräsidium gegenüber verantwortlich. Es handelt sich um die Bekämpfung von Geschlechtskrankheiten, eine der Sozialkrankheiten. Dabei kennen wir keine Ausnahme.

L: Wie bitte? Was habe ich mit Geschlechtskrankheiten zu tun?

S: Ihre erste Blutprobe ist nicht einwandfrei. Wir müssen ausschließen können, daß es sich um eine Geschlechtskrankheit handelt.

L: Aber ich muß in der nächsten Woche abreisen.

S: Das interessiert mich nicht. Wir müssen unsere Pflicht tun.

L: Ich komme aus der Volksrepublik China. Dort ist es ganz anders als hier. Man kann sich dort unmöglich anstecken, selbst wenn man es darauf anlegt.

S: Es wird überall nur mit Wasser gekocht. Hier hängt man auch nicht alles an die große Glocke.

L: Aber ...

S: Wir handeln nicht nach Belieben. Wir haben einen Auftrag auszuführen. Wer nichts zu verbergen hat, macht nicht so rum. Gehen Sie bitte zu Frau Doktor Binnemayer. Sie wartet schon lange auf Sie.

L: Kann ich das Resultat etwas früher wissen?

S: Reden Sie mal mit ihr darüber, wenn Sie es für sinnvoll halten.

Im Untersuchungsraum von Frau Doktor Binnemayer

B: Bitte machen Sie den linken Arm frei.

L: Könnten Sie nicht doch durch eine äußerliche Untersuchung feststellen, ob ich ...

B: Das sagt nicht viel.

L: Sollte ich wirklich daran leiden, dann müßte ich doch ein bißchen davon merken.

B: Diese Krankheit ist deswegen um so gefährlicher, weil man am Anfang überhaupt nichts merkt. Nur durch wissenschaftliche Analysen mit unseren modernen Geräten und zuverlässigen Chemikalien ist eine Frühdiagnose möglich.

L: Könnten Sie mir das Resultat möglichst bald mitteilen?

B: Das tun wir immer. Aber diesmal muß es viel ausführlicher gemacht werden als das letzte Mal. Ihre Blutprobe wird für sechs verschiedene Tests geteilt. Ein Reaktionsvorgang dauert achtundvierzig Stunden. Es sind sehr viele Elektrogeräte im Einsatz, um ein hundertprozent richtiges Resultat zu erzielen. Also schauen Sie am kommenden Donnerstag nochmal bei uns vorbei!

L: Aber heute ist erst Freitag.

B: Hier ist nur bis zwölf Uhr geöffnet. Anschließend beginnt das Wochenende. Fräulein Schumann, der nächste, bitte!

Am Donnerstag der nächsten Woche im Büro von Herrn Doktor Stuckenfeld

S: Herr Li, grüß Gott! Da bekommen Sie Ihre Bescheinigung.
L: Was war denn eigentlich?
S: Nichts Besonderes. Ein Gerät soll nicht hundertprozentig funktioniert haben. Ihre Kollegen sind ja schon abgereist, oder? Entschuldigen Sie.

Jos Jacquemoth
Die Ankunft

Ich erwachte aus diesem typischen Eisenbahnhalbschlaf, in dem
man das Rattern der Räder und die Bahnhofsgeräusche im Hintergrund mithört; durch den Vorhang sah ich den anbrechen-
den Tag das Dunkel der Nacht durchsichtig machen. Der Zug
fuhr langsamer, hielt mit einem leisen Ruck – Griebnitzsee,
Grenzbahnhof vor Westberlin.

Ich streckte mich und lobte die Reichsbahn für die durchge-
henden Sitzbänke, auf denen man sich so schön lang machen
kann – vorausgesetzt, man ist höchstens zu zweit im Abteil,
und wir hatten Glück gehabt: seit Köln war niemand zugestie-
gen, nur die Grenzbeamten beider deutscher Staaten hatten uns
während der Nacht geweckt.

Als ich das Fenster etwas öffnete, strömte empfindlich kühler
Morgendunst ins Abteil, der Frühling ließ auf sich warten dieses Jahr.

Auf dem kleinen, verschlafenen Bahnsteig standen einige
Zollbeamte gelangweilt herum und starrten den Zug an oder
unterhielten sich, während zu den Geleisen hin ein Uniformier-
ter einen Schäferhund am Zug entlang führte, der unter den
Waggons herumschnüffelte, ob kein Republikflüchtling zwischen den Achsen hing. Ich machte meinen Freund darauf aufmerksam, der sich neben mir aus dem Fenster lehnte; der Beamte schaute nicht auf, als er unter uns vorbeiging, der Hund
knurrte leise.

Schließlich setzte der Zug sich wieder in Bewegung und fuhr
nach wenigen Minuten parallel zur Avus; vor uns grüßten die
schlanken Konturen des »langen Lulatsch«, wie die Berliner
den Funkturm nennen: die Bewohner dieser Stadt lieben Spitz-
namen.

Das Grün zu beiden Seiten schrumpfte bald zusammen, der
Zug ratterte zwischen immer enger zusammenrückenden Häu-
serzeilen mit zum Teil sehr bunt bemalten Fassaden hindurch,
wurde langsamer und hielt schließlich: »Zoologischer Garten«,
ein Kleinstadtbahnhof mit zwei Bahnsteigen.

Als wir in die Halle hinunterstiegen, wurde es großstäd-
tischer: zahlreiche Penner torkelten herum, stritten sich lauthals
und pöbelten Fahrgäste an, drohend die Faust mit der Schnaps-

pulle schwingend, wobei sie arge Schwierigkeiten mit dem Gleichgewicht bekamen.

Ohne den Bahnhof zu verlassen, stiegen wir in die Unterwelt hinab und fuhren zu einem Freund, der uns vorübergehend Quartier angeboten hatte.

Das Institut für Germanistik? Die Straße hier, dann links abbiegen, immer geradeaus, und schon seht ihr die Rostlaube vor euch, nicht zu verfehlen.

Die Rostlaube!

Wie ein gerade gelandetes Raumschiff aus einer anderen Welt liegt sie da, flach, breit und unendlich häßlich, störend schwarz inmitten der schönen, alten Dahlemer Villen.

Als wir eintraten, sahen wir uns erst einmal hilflos um: ein unentwirrbares Durcheinander an Räumen und Gängen, mit Plakaten vollgeklebte Wände aus Blech und Glas, leuchtendroter Teppichboden, der sehr gefährlich ist, denn schon nach wenigen Schritten bekommt man einen elektrischen Schlag, wenn man Metall anfaßt.

Buchstaben bezeichnen die Längsgänge, die Quergänge werden Straßen genannt und sind numeriert – wie in New York; um sich zurechtzufinden, braucht man die wiederholte Erfahrung erfolgloser Suche nach Seminarräumen.

Erschlagen standen wir zwischen den uns umflutenden Studentenmassen und bewunderten die in allen Brauntönen schillernden Wasserflecken an der weißen Styropordecke: Kunst am Bau! (Einige Wochen später fiel ein Fenster aus seinem Rahmen einem Studenten auf den Kopf; daraufhin mußten wir den ganzen Sommer in abgeschotteten Räumen schwitzen, weil das Fensteröffnen verboten war.)

Und am nächsten Morgen fuhren wir in die Türkei.

Angeblich ist Kreuzberg die drittgrößte türkische Stadt, ein Ghetto für Gastarbeiter (und Studenten), die man an die Mauer abgeschoben hat, um zu zeigen, wie man sie einschätzt, etwas höher immerhin als die »drüben«.

Je weiter wir kamen, desto orientalischer wurden die Fahrgäste in der U-Bahn: Matronen mit Kopftüchern und farbenfrohen Röcken, die mit ihren lauthals geführten Unterhaltungen das kirchenstille Verhalten der üblichen Fahrgäste ablösten; Männer, die unaufhörlich einen islamischen Rosenkranz zwischen den Fingern drehten und dazu ihre Lippen unhörbar bewegten; Kinder mit schwarzen Haaren und dunkler Hautfarbe, die reinsten Berliner Dialekt sprachen.

Wir waren früh aufgestanden, aber noch nicht früh genug; vor dem Amt für Ausländerangelegenheiten in der Puttkamerstraße, direkt am berühmten »Checkpoint Charlie«, drängte sich eine lange Schlange wartender Menschen, in die wir uns einreihen mußten.

Für die Immatrikulation brauchten wir die Aufenthaltsgenehmigung, für die Aufenthaltsgenehmigung aber brauchten wir die polizeiliche Meldebestätigung.

Und wo sollten wir so schnell eine Wohnung hernehmen, denn die Immatrikulationsfrist lief in wenigen Tagen ab. Die freundliche Dame am Telefon hatte uns geraten, einen Freund um die Anmeldung zu bitten, pro forma; was wir denn auch getan hatten.

Als wir endlich zur Eingangshalle vorgedrungen waren, musterte ein Pförtner unter den mißtrauischen Blicken zweier Polizeibeamter unsere Pässe und schickte uns zu einem Büro, wo bereits die nächste Menschenschlange wartete. In den Gängen, seit Jahren nicht mehr gestrichen, stank es fürchterlich, eine undefinierbare Mischung aus schalem Zigarettengeruch, Schweiß und verbrauchter Luft.

Hinter der verglasten Bürotür fuchtelte eine Gestalt wild mit den Armen, erregte Stimmen überschlugen sich, ein Mann riß die Tür auf und rannte über den Gang, in einer mir unverständlichen Sprache fluchend, während eine Frauenstimme ihm unfreundliche Worte auf deutsch nachrief.

Nach einer halben Stunde ungeduldigen Wartens durfte ich endlich eintreten; zu mir war die Frau hinter der Glastür wesentlich freundlicher, ich kam ja aus einem »zivilisierten« Land.

Als ich meinen Paß und die erforderlichen Dokumente abgegeben hatte, schickte sie mich in einen Wartesaal, ich würde dann aufgerufen.

Die Luft in diesem Raum war noch schlechter als auf dem Gang. Es stank wie in den Raucherzügen der U-Bahn, die es damals noch gab und in denen es kaum bis zum nächsten Bahnhof auszuhalten war, wenn man durch Unachtsamkeit einmal hineingeriet. Die unmenschliche Verkommenheit dieses Gebäudes gab die Einstellung der Behörden genauestens wieder: für Türken gut genug!

Da ich mit einer längeren Wartezeit rechnen mußte, wollte

ich die Gelegenheit nutzen: ich spazierte zum nahegelegenen Checkpoint Charlie und stieg auf das Holzgestell, von dem man über die Mauer sehen kann, an die man als Fremder zuerst denkt, wenn man den Namen Berlin hört.

Laufend karrten Busse neugierige Touristen heran, die hastig die Aussichtsplattform erklommen, den real existierenden Sozialismus auf Zelluloid bannten, den unvermeidlichen Spruch von der Unmenschlichkeit ablieferten und ebenso schnell wieder den Bus enterten: der nächste Programmpunkt wollte abgehakt werden.

Im »Haus am Checkpoint Charlie« werden die phantasievollsten Fluchtgeräte zur Schau gestellt: zwei aneinandergefügte Koffer mit zusammengekrümmter Puppe zur besseren Veranschaulichung, präparierte Autos, selbstgebastelte Taucherausrüstungen (die es in der DDR nicht zu kaufen gibt wegen der Fluchtgefahr) und andere Gerätschaften, mit denen erfinderische Menschen in das gelobte Land geflohen waren. Wie viele dann hier scheiterten, wird nicht erwähnt.

Den ganzen Vormittag lief ich in der Friedrichstadt umher, zwischen Brandmauern und wild bewachsenem Ruinengelände, letzten Spuren des Krieges. Regelmäßig schaute ich beim Ausländeramt vorbei, regelmäßig mußte ich enttäuscht abziehen, bis ich endlich um ein Uhr mittags meinen Paß mit dem erforderlichen Stempel (»Aufenthaltsgenehmigung für die Bundesrepublik Deutschland einschließlich des Landes Westberlin«) zurückerhielt; die Europäische Gemeinschaft bringt die Menschen einander wirklich näher!

Dann die Wohnungssuche!

Es war gerade Samstag, und am Sonnabendabend, wie man in Berlin sagt, gibt es die Sonntagsausgabe der ›Morgenpost‹ mit den vielen hundert Wohnungsangeboten, der Strohhalm, an den die vielen Obdachlosen sich klammern, die von einem Freund zum andern ziehen, um zu übernachten und sich überall als lästige Eindringlinge fühlen, obwohl sie willkommen sind, weil es ihren Gastgebern nicht besser ergangen war, als sie in diese Stadt kamen.

In der Nähe des »Zoos«, wo die Zeitung zuerst ausgeliefert wird, bettelten uns zwei Penner an, um sich etwas zu essen kaufen zu können, wie sie treuherzig versicherten. Als Zeugen zog der eine eine Flasche aus der Manteltasche und hielt sie uns vor: »Seht ihr, zu trinken haben wir schon! Wir wollen euch nicht bescheißen!« Ich mußte lachen, der Einfall war wirklich gut, um weichherzige Passanten zu ködern.

Von weitem schon sahen wir am Zeitungsstand vor dem Bahnhof die Schlange, die sich mindestens zweihundert Meter weit zog und deren Schwanz ständig länger wurde; gespannte Ruhe herrschte, unterbrochen von bitteren Witzen, die in der Bemerkung gipfelten, hier sei es ja schlimmer als im Osten; dafür konnte man sich in Berlin immer mal eine Tracht Prügel einhandeln. Auch die Telefonzellen auf der anderen Straßenseite waren alle besetzt – von Freunden der zuerst Gekommenen, die so einen Vorsprung gewinnen wollten.

Endlich fuhr der ersehnte Lieferwagen vor und mehrere Stapel Zeitungen wurden abgeladen; wenige Augenblicke später rannten die ersten Käufer über den Bahnhofsvorplatz und hängten sich in die Wählscheiben.

Als wir endlich unser Blatt in der Hand hielten, bestand keinerlei Aussicht, eine freie Zelle in der näheren und weiteren Umgebung zu finden; da wir außerdem keine Lust hatten, mitten in der Nacht die Wohnungssuche aufzunehmen, setzten wir uns in eine Kneipe und strichen die interessantesten Angebote an, um am nächsten Morgen gleich losziehen zu können.

Früh am Sonntag brachen wir auf.

Die erste Anzeige führte uns nach Zehlendorf, eine schöne Wohnung, nicht zu teuer, aber die Interessenten rissen sich die Klinke gegenseitig aus der Hand und hatten den Abstand bereits auf tausend Mark hochgetrieben – für einige schmutzige Gardinen und fleckige Teppichböden, die sie gleich herausreißen würden.

In Neukölln führte uns ein älterer, unrasierter Mann mürrisch in eine Wohnung, die nicht so dunkel war, weil die Vorhänge vorgezogen waren, sondern weil die Fenster auf einen Hof gingen, der vielleicht zwanzig oder dreißig Meter im Quadrat maß. Als unsere Augen sich endlich an das schummrige Halbdunkel gewöhnt hatten, erkannten wir die großzügige Einrichtung: zwei dreckige Liegen, ein wackliger, wurmstichiger Schrank und zwei schöne Kachelöfen, die bis zur Decke reichten und von besseren Tagen kündeten.

Und dann, am frühen Nachmittag, wurden wir fündig: in der Nähe des Charlottenburger Schlosses suchte ein junges Pärchen, das dringend nach Westdeutschland mußte, einen Nachmieter für eine Wohnung ohne Bad oder Dusche, dafür aber mit hellen, freundlichen Zimmern und Blick auf den Schloßpark.

Schnell einig geworden, verabredeten wir uns für den Nachmittag, um mit dem Besitzer den Mietvertrag zu unterschreiben.

Als wir nachhause kamen, drehte unser Freund fast durch, das habe es noch nie gegeben, daß jemand in Berlin am ersten Tag eine Wohnung finde, das müsse man gleich gebührend feiern.

Als wir gegen vier Uhr in die Knesebeckstraße einbogen, sah ich schon von weitem das Pärchen erregt auf einen älteren Mann einreden: da wußte ich, daß wir noch keinen Grund zum Feiern hatten.

Als der junge Mann uns sah, lief er uns entgegen: »Er will keine Studenten, weil die angeblich zu viel Lärm und alles kaputt machen!«

Gemeinsam versuchten wir, den Alten umzustimmen und schienen auch Erfolg zu haben, als seine Frau aus der Haustür trat und ihn ankeifte, nur nicht nachzugeben. Sie war eine unangenehme Person, und der Mann hatte sichtlich Respekt vor ihr: wir mußten achselzuckend aufgeben.

So hatten wir an einem Tag eine Wohnung gefunden und wieder verloren.

Also weiter!

Eine ganze Woche lang um halb sieben aus dem Bett, Zeitung holen, ans Telefon hängen: Bedaure, nur für älteres Ehepaar – Keine Studenten – Schon vergeben – Nur mit Gehaltsnachweis – Fünfhundert Mark Abstand, tausend Mark Abstand, fünfzehnhundert Mark Abstand. Irgendwann gaben wir den Traum von der eigenen Wohnung auf und verlegten uns auf Zimmer in Untermiete, als vorläufige Lösung, um nur endlich ein Dach über den Kopf zu bekommen.

Kreuz und quer durch die Stadt fahren, mit der U-Bahn, dem Bus, der S-Bahn.

Bei der guten Frau in Marienfelde dürfe ich zwar leider keinen Besuch empfangen, aber ich selbst könne selbstverständlich kommen und gehen, wann es mir beliebte. Die graumelierte Dame in Zehlendorf stürzte mit ausgestrecktem Arm auf uns zu: »Ich nehme den mit den kurzen Haaren! Die Abflüsse verstopfen ja so leicht, die Rohre sind dann so schwer wieder frei zu bekommen, das wird mir zu teuer! Sie können sich gar nicht vorstellen, wie schlecht damals unter Hitler gebaut wurde.«

Am Abend todmüde ins Bett fallen, und schon klingelt der Wecker wieder.

Am siebenten Tag schließlich fanden wir zwei annehmbare Zimmer, eines in Wilmersdorf, eines in Schlachtensee, über zwölf Kilometer voneinander entfernt; aber endlich konnten wir uns dem zuwenden, wozu wir eigentlich in diese Stadt gekommen waren.

Sindbad hat schon viele Länder bereist: arabische, Indien, Persien und die Türkei. Die Erfahrungen, die er in den fremden Ländern gesammelt hatte, gibt er an sein Volk weiter. Das Reisen ist für ihn eine einfache Sache. Er braucht nur seinen fliegenden Teppich zu besteigen, und schon erhebt er sich hoch in den Himmel.

Aber jetzt hat er eine Reise in eine ganz andere Gegend vor. Er breitet seine Landkarte vor sich aus und zeigt mit dem Finger auf einen Punkt.

»Dahin wollen wir fliegen«, sagt er zu seinem Esel. Brot, Wasser, Melonen, getrocknetes Hammelfleisch, Kaffee und Tee nimmt er als Reiseproviant mit.

Wenn er sich nicht verrechnet hat, und der Wind ihn nicht täuscht, würde er diesmal eine ganze Woche unterwegs sein. Auch seinen Esel lädt er auf den fliegenden Teppich, damit er dort ein Transportmittel hat, wo er wieder auf der Erde gelandet ist.

Es ist schön warm, die Luft ganz klar, und der Himmel hat eine tiefblaue Farbe. Die Sterne glitzern Diamanten gleich und funkeln ihr Licht zur Erde. Die Zeit des Halbmondes ist gekommen, und er sieht aus wie eine Jasminkette.

Sindbad macht es sich auf seinem Teppich bequem. Links von ihm steht sein Esel und rechts liegt sein Reiseproviant, wohlverpackt in einer Decke.

Sindbad selbst ist mit einem weißen Kaftan bekleidet und trägt einen gelben Turban auf dem Kopf.

Als der Teppich die richtige Höhe erreicht und in Richtung Norden fliegt, ist er beruhigt und schließt die Augen. Er befürchtet nicht zu verschlafen, denn sein Esel ist es gewohnt, ihn immer auf Reisen zu wecken.

Gleich nach dem Einschlafen beginnt Sindbad zu träumen: Er spielt mit zwei Löwinnen an einem Flußufer.

Die Raubtiere sind zutraulich wie zwei Katzen.

Ohne die geringste Angst streichelt er sie, und sie säugen ihn mit ihrer Milch. Da fühlt er sich gleich viel stärker und verliert für kurze Zeit alle seine Ängste.

Danach sieht er Fische. Große und kleine schwimmen friedlich nebeneinander im Ozean, und kein Fisch tut dem anderen etwas zuleide.

Weiter träumt er von Salomons Schatz. Er liegt in einem großen Tempel, und jeder kann sich etwas davon nehmen, denn es ist genügend da für alle.

Plötzlich erblickt er ein riesiges, schwarzes Tier. Es sieht aus wie ein Skorpion. Das Tier will ihn in den Hals stechen. Sindbad überfällt eine große Angst, und davon wacht er auf.

Als er die Augen öffnet, ist es schon heller Tag. Er ärgert sich über seinen Esel, weil er ihn nicht geweckt hatte. Aber diesmal schläft der Esel selbst noch.

Sindbad rüttelt ihn wach, und zusammen beginnen sie das Frühstück vorzubereiten. Der Esel kocht Kaffee, Sindbad schneidet Brot und Fleisch. Sie stellen alles auf eine silberne Platte und beginnen zu frühstücken.

»Hast du gut geschlafen und süß geträumt?« erkundigt sich der Esel.

Sindbad antwortet seinem Freund: »Ich habe von Löwinnen, Fischen und einem großen Schatz geträumt. Das war wunderschön! Aber dann kam ein riesiges, schwarzes Tier. Es sah aus wie ein Skorpion und wollte mich in den Hals stechen. Ich hatte schreckliche Angst, und davon bin ich aufgewacht. Was mag wohl dieses riesige, schwarze Tier bedeuten?« fragt Sindbad.

Der Esel gibt ihm zur Antwort: »Das riesige, schwarze Tier wird uns noch oft begegnen. – Sicher will es unsere Reise stören. Du hast dich falsch verhalten, Sindbad. Du hättest dich wehren sollen, statt wegzurennen. Du hast kräftige Hände und einen scharfen Dolch. Warum hast du das schwarze Tier nicht ins Herz getroffen? Dann wäre es jetzt sicher tot. So aber wird es uns nicht in Ruhe lassen, sondern uns immer verfolgen.«

»Es war viel stärker als ich. Ich konnte es nicht töten«, gibt Sindbad zurück.

»Hättest du um Hilfe gerufen, dann hättest du ihm nicht allein gegenübergestanden. Einen Finger kann man brechen, eine Faust nicht«, meint der Esel.

Sindbad denkt, daß das nur ein Traum war, vorüber und vorbei. Dem schwarzen Tier werde ich nie wieder begegnen.

Er trinkt noch einen Schluck Kaffee, ist zufrieden, daß er satt ist, spült seinen Mund aus und wischt sich den Bart mit Wasser ab. Er bewundert den Himmel um sich herum.

Es vergehen sechs Tage. Nach Sindbads Berechnung müssen sie am siebenten Tag ihr Ziel erreicht haben.

Gespannt schaut er hinunter zur Erde. Dort sieht er einen großen Wald. Zum Vergleich schaut er auf seine Landkarte und bemerkt erstaunt, daß dieser Wald nicht angegeben ist.

»Was könnte das da unten denn sein?« fragt er seinen Esel. Der Esel kann ihm auch nichts dazu sagen.

»Laß uns hier landen«, schlägt er vor. »Dann werden wir schon sehen, wo wir sind.«

»Wir können nicht im Wald landen, wir müssen flaches Land finden«, erklärt Sindbad.

Sie halten Ausschau nach rechts und links und wollen flaches Land entdecken.

Plötzlich schreit der Esel ganz laut und wackelt vor Freude mit dem Kopf: »Dort, dort, sieh nur, die große Stadt. Wir sind am Ziel.«

Sindbad nimmt sein Fernrohr und schaut in die Richtung, die der Esel ihm weist. Verwundert über das, was er sieht, ruft er: »Solch eine Riesenstadt, das kann nur Bagdad sein. Aber wie, wir sind sieben Tagesreisen von Bagdad entfernt. Habe ich mich etwa verrechnet? Das wäre aber ärgerlich. Was soll ich denn in Bagdad? Ich kenne es wie meinen Teppich.«

Er steuert seinen Teppich näher an die Stadt heran. Da erst bemerkt er, daß er nicht Bagdad, sondern eine fremde Stadt vor sich hat. Hier ist er noch nie gewesen. Hier gibt es auch keine Moscheen, dafür aber Gebäude mit mindestens dreißig Stockwerken. Sie machen ihm Angst, denn wenn sein Teppich gegen eines von ihnen stoßen würde, müßte er abstürzen.

Er überlegt hin und her, wo er am besten landen könnte. Da zieht unglücklicherweise auch noch ein schweres Gewitter herauf. Eine Sturmbö erfaßt den fliegenden Teppich und drückt ihn zur Erde. Sindbad und sein Esel fallen in einen See. Aber den Teppich verlieren sie dabei.

Sindbad überfällt eine tiefe Trauer, denn ohne seinen Teppich fühlt er sich verloren.

Der Esel tröstet ihn: »Beruhige dich, es könnte noch schlimmer sein. Wir leben doch. – Laß uns unsere Kräfte sammeln und ans Ufer dort drüben schwimmen. Wir brauchen höchstens eine halbe Stunde, bis wir festen Boden unter den Füßen haben.« Sindbad zögert noch.

»Du bist doch ein guter Schwimmer«, redet ihm der Esel zu. »Du hast mir einmal erzählt, du seiest das Krokodil vom Nil. Jetzt kannst du es mir beweisen.«

»Aber der Teppich«, widerspricht ihm Sindbad. »Wo soll ich ihn wiederfinden? Wie können wir wieder heimkehren, wenn es uns in der fremden Stadt nicht gefällt?«

Der Esel beruhigt Sindbad und macht ihm Hoffnung, daß sie auch ohne Teppich leben können.

Beide schwimmen länger als eine halbe Stunde, dann haben sie den Strand erreicht. Sie sind sehr erschöpft und frieren kläglich. Aber wohin sie auch blicken, sie sehen keine Menschen. Die Menschen sind alle in ihren Häusern und schlafen in bequemen Betten, unter warmen Decken.

Sindbad zündet ein Feuer an und trocknet seinen Kaftan. Als er endlich trocken ist, erkennt er ihn kaum wieder. Er ist ganz schwarz, und auch der Esel ist dreckig, denn die beiden sind in die schmutzige Brühe des Grunewaldsees gefallen.

Sindbad striegelt das Fell seines Esels, aber ganz sauber bekommt er es nicht mehr.

Beide machen sich nun auf den Weg durch den Grunewald, kommen an schönen Häusern vorbei, die meisten sind weiß. Manche haben Marmortreppen und einen Swimmingpool.

Überall ist der Rasen kurz geschnitten, und alles sieht gepflegt aus. Die Umgebung erinnert Sindbad an Bagdad, aber selbst dort hat er nicht so viele Paläste gesehen. So etwas hat er überhaupt in seinem Leben noch nicht erblickt, und er meint, alle Menschen in dieser Stadt würden in solch wunderbaren Palästen leben.

Das gibt ihm wieder Mut und Hoffnung, denn wer solche Häuser besitzt, ist sicher sehr gastfreundlich, meint er. Sicher wird man ihn und seinen Esel aufnehmen.

In einer Villa brennt noch Licht. Sindbad klopft dort an, aber niemand öffnet. Nun pocht Sindbad stärker, bis ein Mann in einer Hausjacke erscheint, begleitet von einem Hund. Als er Sindbad und seinen Esel vor sich sieht, scheint er zu glauben, es handele sich um einen Faschingsscherz eines Freundes. Er tritt nahe an Sindbad heran und schaut ihm ins Gesicht. Jetzt bemerkt er, daß er einen Fremden vor sich hat und beginnt laut zu schimpfen: »Was habt ihr Gastarbeiter denn im Grunewald zu suchen?«

Sindbad begrüßt den Mann trotzdem freundlich in arabischer Sprache und fragt, ob er bei ihm übernachten könne.

»Verlaß sofort mein Haus!« brüllt der Mann zurück. »Sonst hole ich die Polizei.« Damit hetzt er seinen Hund auf Sindbad, und Sindbad ergreift die Flucht. Er erschrickt sehr über diesen bedrohlichen Empfang und beginnt zu verzweifeln.

Sein Esel indessen ist nicht so sehr verwundert. Er hat von Anfang an geahnt, daß hinter diesen schönen Fassaden irgend etwas stinkt und daß diese schöne Stadt nicht das Paradies sein kann.

Er spricht Sindbad gut zu und gibt ihm Hoffnung, vielleicht in einem anderen weißen Haus Aufnahme zu finden.

Sie gehen weiter durch den Grunewald. Sindbad klopft an einer anderen Tür an.

Eine Frau schaut neugierig aus dem Fenster und erschrickt, als sie Sindbad und seinen Esel sieht. Sie denkt, er sei Alibaba, und die vierzig Räuber lauerten im Hintergrund. Ihr Gesicht wird weiß, und Sindbad kann ahnen, wie stark ihr Herz unter dem dünnen Gewand zu klopfen beginnt. Sie wendet sich in ihr Zimmer zurück, und er kann sie rufen hören: »Mann, schnell, steh' doch auf und alarmier' die Polizei! Überfall!«

Ihr Mann erwacht von dem Geschrei und glaubt, seine Frau habe Verfolgungswahn. Aber als er Sindbad auch sieht, erschrickt er mit der Frau so sehr, daß er sich fast die Hose voll gemacht hätte vor Angst.

Zitternd ruft er nach dem Überfallkommando.

Sindbad aber hat keine Lust, noch länger vor der Tür zu stehen.

Ehe die Polizei zur Stelle ist, hat er sich mit seinem Esel davongemacht.

Auf seinem Weg durch den Grunewald klopft er noch an mehr als zwanzig Haustüren an. Aber keine tut sich für ihn auf. Niemand will ihn als Gast haben.

Sindbad begreift nun, daß er nicht in diese weißen Häuser gehört.

»Hätte ich nur meinen Teppich, nicht eine Sekunde länger würde ich hier bleiben«, stöhnt er, »aber jetzt muß ich mich mit meinem Weg abfinden und sehen, wie es weitergeht.«

Nachdenklich trottet der Esel neben Sindbad her.

Erst nach einer Weile sagt er: »Sei nicht traurig. Überall, wo wir bis jetzt waren, hatten wir Glück. Die Menschen waren freundlich zu uns und haben uns als Gäste behandelt. Vielleicht finden wir auch hier jemand, der uns aufnimmt. Die ganze Stadt lebt bestimmt nicht nur von diesem vornehmen Viertel. Wir müssen uns eben umsehen.«

Die beiden verlassen den Grunewald und gelangen auf eine breite Straße. Sie ist hell erleuchtet, und rechts und links stehen Geschäfte, Hotels und auch Hochhäuser. »Wenn diese hohen Häuser nicht wären, könnte man diese Straße mit dem Basar von Bagdad vergleichen«, meint Sindbad zu seinem Esel.

Aus den kleinen Buden, die am Straßenrand stehen, dringt ein beißender Gestank von verbranntem Öl der Currywürste heraus.

Im Basar von Bagdad dagegen schnuppert man das Obst und Gemüse und auch das frisch gegrillte Hammelfleisch.

Der Esel steckt sich einen Korken in die Nase, weil er es nicht aushalten kann. Dazu kommen noch die Auspuffgase der vorbeirasenden Autos, die die Luft um sie herum verpesten.

Viel besser gefallen Sindbad die prächtigen Schaufenster mit den hübschen Kleiderpuppen. Zuerst meint er, es handele sich da um richtige Mädchen. Er will mit ihnen flirten und spricht sie an, aber keine von ihnen reagiert. Er kann nicht verstehen, warum sich diese schönen Frauen nicht für ihn interessieren wollen.

In Bagdad hatte er immer großen Erfolg bei ihnen gehabt. Er brauchte nur zu sagen: »Ich bin Sindbad«, und schon folgten ihm einige.

Er klopft mit einem Stock gegen eine Glasscheibe, um die Mädchen auf sich aufmerksam zu machen, aber diese Wesen bleiben steif und bewegen sich nicht. Da wird ihm klar, daß es sich um keine wirklichen Mädchen handeln kann.

Sindbad und sein Esel gehen weiter. Sie begegnen einigen Betrunkenen. Einer schimpft auf Sindbad und seinen Esel, ein anderer lacht über ihn und ein dritter sagt: »Was haben die Gastarbeiter hier auf dem Kurfürstendamm zu suchen? Ist ihnen Kreuzberg nicht mehr gut genug?«

Keiner der Passanten fragt sie, woher sie denn kommen und ob sie vielleicht Hilfe brauchen.

Sindbad möchte die Menschen ansprechen. Die meisten wehren gleich ab, andere können ihn nicht verstehen.

Vor einer Autobushaltestelle steht ein Mann und wartet auf den Nachtbus nach Kreuzberg.

Als Sindbad ihn sieht, atmet er auf und freut sich. Der Mann sieht orientalisch aus, seine Haut ist dunkel, die Haare schwarz, die Augen auch, und dazu trägt er noch einen dichten Schnurrbart.

Sindbad spricht ihn an, und der andere antwortet türkisch.

Sindbad versteht ihn, denn er ist schon oft in der Türkei gewesen und hat die türkische Sprache dort gelernt.

»Arabi?« fragt Sindbad.

»Nein, Türke«, antwortet er ihm.

»Moslem?« will er wissen.

»Ja, al-ham du li allah, gepriesen sei Allah«, ruft Sindbad.

»Und wie heißt du?«

»Mustafa Bülbül, und du?«

»Sindbad.«

»Sindbad, der Seeräuber?« will der Türke wissen.

»Nein, ich bin kein Seeräuber wie im Märchen. Ich bin ein Mann, der viel gereist ist und Erfahrungen gesammelt hat. Alles, was ich unterwegs gelernt habe, schreibe ich für meine Landsleute auf.«

»Bist du über den Flughafen Schönefeld eingereist?« fragt Mustafa Bülbül.

»Nein«, gibt Sindbad Auskunft, »ich habe eine eigene Luftmaschine. Leider geriet ich in einen Sturm und habe sie dabei verloren.«

Mustafa Bülbül glaubt Sindbad die Geschichte mit der Luftmaschine nicht. Er übertreibt, wie alle Orientalen, denkt er bei sich, und das kann man ihm nicht übelnehmen.

»Hast du hier Bekannte?« fragt er Sindbad.

»Außer Allah kenne ich hier niemand.«

»Hast du Papiere?«

Sindbad zeigt seinen Paß. Er ist noch naß vom Seewasser. Mustafa Bülbül blättert in dem Paß und findet keine Aufenthaltsgenehmigung darin, auch keine Arbeitserlaubnis.

»Können mein Esel und ich einige Tage bei dir bleiben, bis wir den fliegenden Teppich wiederfinden?«

»Ja, ja«, antwortet der Türke, »aber mit dem Esel dürfen wir nicht in den Bus, da müssen wir zu Fuß nach Hause gehen.« Sie verlassen den Kurfürstendamm und gehen in Richtung Kreuzberg. Jetzt stehen die Häuser grau da, von manchen bröckelt der Putz, andere tragen riesige, dunkle Löcher von Bomben aus dem letzten Krieg. Die Straßen sind dunkel.

»Wo sind wir?« fragt Sindbad. »Sind wir in einer anderen Stadt? Wer lebt hier in diesen Häusern?«

»Nein, das ist die gleiche Stadt. Hier wohnen wir und deutsche Arbeiter«, erklärt Mustafa.

»Und wer waren die in den weißen Häusern, die uns nicht aufnehmen wollten?«

»Die Reichen«, antwortet Mustafa Bülbül.

Sindbad erzählt, wie diese Reichen ihm die Gastfreundschaft verweigert hatten und sogar die Hunde auf ihn hetzten.

Mustafa Bülbül nickt: »Du brauchst mir nichts zu erzählen. Ich kenne die Reichen. Seit vier Jahren arbeite ich für sie.«

»Wo arbeitest du denn?« erkundigt sich Sindbad.

»In einer Spinnerei, dort werden künstliche Garne hergestellt. Dabei fällt mir ein, du könntest auch was zum Anziehen gebrauchen. So kannst du hier in Berlin nicht herumlaufen. Ich leihe dir eine Hose, auch eine Jacke. Hoffentlich passen dir diese Sachen. Vielleicht kannst du auch arbeiten und ein bißchen Geld verdienen für die Rückfahrt in die Heimat.«

»Ich werde dir sehr dankbar sein, wenn du eine Arbeit hier für mich finden kannst«, erklärt Sindbad.

»Sie mögen hier keine Ausländer. Am liebsten würden sie uns alle rausschmeißen. Aber solange sie uns brauchen, sind wir gut genug für sie, und sie behalten uns doch hier. Seit einiger Zeit werden immer mehr weggeschickt.

Säuberung nennen sie das hier. Wenn unser Vertrag abgelaufen ist, wird er nicht mehr verlängert, und wir müssen wegfahren. Arkadasch, mein Freund«, spricht der Türke zu Sindbad, »du kannst bei mir wohnen, und ich helfe dir, eine Arbeit zu finden. Allerdings hat die Sache einen Haken. Ich muß dich in einem anderen Stadtbezirk anmelden. Seit diesem Jahr dürfen keine Gastarbeiter mehr nach Kreuzberg ziehen. Sie fangen schon an, uns zu beobachten und zu überprüfen. Wir sollen in andere Wohnungen umziehen und höhere Mieten bezahlen. Deshalb wird einfach behauptet, die Häuser und Wohnungen seien zu alt, sie müssen abgerissen werden. Das stimmt aber gar nicht. Es gibt noch sehr gute, alte Häuser in Kreuzberg, sie bringen aber keine so hohen Geldgewinne wie die Neubauten. Das kann ich dir aber nicht alles auf einmal erklären. Mit der Zeit wirst du es selbst sehen.«

Inzwischen muß sich Mustafa Bülbül auch überlegen, wo er den Esel unterbringen kann. Im Hof wird es zu kalt werden für ihn, für den Keller hat er keinen Schlüssel, also entschließt er sich, ihn auch mit in die Wohnung zu nehmen.

Es ist schon fast hell, als sie das Haus erreichen, in dem Mustafa Bülbül im vierten Hof links, oben im sechsten Stock eine Einzimmerwohnung mit Küche bewohnt.

»Kann dein Esel Treppen steigen?« fragt er Sindbad. »Ich muß ihn in der Küche unterbringen.«

»Mein Esel kann alles, er hat sogar schon Preise gewonnen.« Mustafa Bülbül und Sindbad legen sich in der Wohnstube hin, der Esel in der Küche.

Sindbad ist von all den neuen Eindrücken so müde, daß er sofort einschlafen muß. Diesmal träumt er weder von den Löwinnen noch von den großen und kleinen Fischen, auch nicht von Salomons Schatz.

Er träumt nur von dem riesengroßen, schwarzen Tier, das ihn ständig verfolgt und stechen will.

Er aber rennt, rennt und rennt.

Sindbad schläft ununterbrochen sieben Tage und Nächte. Mustafa Bülbül sorgt sich schon um seinen Gast, der Esel aber erklärt, daß Sindbad nicht krank sei, jedoch die Angewohnheit hätte, nach anstrengenden Reisen immer sieben Tage und Nächte durchzuschlummern, um neue Kraft zu sammeln.

Als Sindbad am siebenten Tag erwacht, schaut er sich verwundert in dem dunklen Zimmer um. Die Wohnung liegt ja im vierten Hinterhof, und deshalb dringt nie ein Sonnenstrahl durch die Fenster herein. Er ist sich nicht sicher, ob er nicht noch etwa träume, und erst als er seinen Esel und Mustafa Bülbül erblickt, denkt er wieder an die Wirklichkeit, und es fällt ihm ein, daß er Gast bei einem türkischen Mann ist.

Mustafa Bülbül fragt ihn: »Hast du jetzt Hunger?«

»Ja«, antwortet Sindbad, und nun spürt er tatsächlich, daß er sieben Tage nichts mehr gegessen hat.

Der Türke bietet ihm eine Spezialität seiner Heimatküche an: Kufta-Fleisch mit Tomatensoße. Dazu trinkt Sindbad Wasser, aber das Wasser schmeckt längst nicht so gut wie das in seiner Heimat.

Mustafa Bülbül berichtet, was er unterdessen alles unternommen hat.

»Ich habe in unserer Fabrik nach Arbeit für dich gefragt, aber leider eine Absage bekommen. Sie beschäftigen niemanden ohne Arbeitserlaubnis. Es gibt aber noch eine andere Möglichkeit. Du kannst ja bei einem Sklavenhändler arbeiten.«

Als Sindbad das hört, denkt er gleich an die Zeiten, in denen noch Menschen als Sklaven verkauft wurden.

Er hatte geglaubt, das sei Vergangenheit, und staunt nicht

schlecht, daß es in dieser zivilisierten Stadt noch Sklavenhändler geben soll.

»Ich will kein Sklave sein!« ruft er wütend. »Ich bin als freier Mensch geboren und werde auch als freier Mensch sterben.«

Mustafa Bülbül erklärt Sindbad, daß sich die Sklaverei in der modernen Zeit etwas geändert hat: »Bei einem Sklavenhändler zu arbeiten bedeutet, ein Arbeitsvermittler vermittelt dir Arbeit für einen Tag. Nach der Arbeit bekommst du den Lohn, und davon kassiert der Vermittler die Hälfte des Geldes. Deshalb heißt er bei uns Sklavenhändler.«

»Und was muß ich da machen?« fragt Sindbad.

»Der Arbeitsvermittler schickt dich in eine Fabrik oder in ein großes Kaufhaus, und du mußt das machen, was gerade verlangt wird. Manchmal haben sie Arbeit für mehrere Tage, dann hast du Glück. Ein anderesmal mußt du täglich deine Arbeitsstelle wechseln.«

Sindbad bleibt nichts anderes übrig, als zu dem Arbeitsvermittler zu gehen, denn er hat kein Geld mehr, um in seine Heimat zurückzukehren.

Der Arbeitsvermittler gibt ihm eine Arbeit in einer Fahrstuhlfabrik.

Mustafa Bülbül leiht ihm ein Arbeitshemd, eine Hose und noch eine Jacke, und er begleitet ihn um fünf Uhr morgens zur Fabrik, denn allein würde Sindbad den Weg dorthin noch nicht finden.

Der Esel bleibt zu Hause.

Um sich nicht zu langweilen, nimmt er sich Bleistift und Papier und beginnt, sein Tagebuch zu schreiben.

Außerdem will er für Sindbad und Mustafa kochen, denn nach der schweren Tagesarbeit würde den beiden ein warmes Abendessen bestimmt schmecken.

Am Fabriktor fragt Mustafa Bülbül den Pförtner nach dem Weg zum Personalbüro. Der Pförtner weist ihnen mit dem Finger den Weg, aber sie verirren sich in den vielen Fluren und Türen.

Als sie endlich das Vorzimmer zum Personalbüro gefunden haben, ist es für Mustafa Bülbül höchste Zeit, zu seiner eigenen Arbeitsstelle zu eilen.

»Warte hier«, schärft er Sindbad ein, »ich muß jetzt laufen, sonst bekomme ich selbst großen Ärger.«

Eine Sekretärin kommt auf Sindbad zu. Ihr zeigt er das gelbe Papier, das er von dem Arbeitsvermittler bekommen hatte.

»Sprechen Sie Deutsch?« fragt sie und schaut nur auf das Papier.

»Nix verstehen«, antwortet Sindbad, »ich arabisch, türkisch, persisch.«

Die Sekretärin ruft einen Meister. Er kann ein paar türkische Worte verstehen und nimmt Sindbad mit.

Auf einem großen Platz, wo viele Eisenstangen liegen, bleibt er stehen. Er zeigt Sindbad, wie er die Eisenstangen nach Länge und Stärke sortieren muß.

Diese Arbeit soll er mit einem zweiten Mann tun. Der Mann ist ein Deutscher, etwa fünfzig Jahre alt, von robuster Gestalt. Er hat graue Haare, dunkle Augen und eine spitze Nase.

Sindbad und er verständigen sich mit Händen und Füßen, weil der Deutsche nur ein paar Worte verstehen kann. Sindbad erkennt, daß dieser Mann auch vom Sklavenhändler vermittelt worden sein muß, obwohl er Deutscher ist und er eigentlich überall hätte Arbeit finden können.

Aber er trinkt gerne viel Alkohol und braucht dafür jeden Tag Geld.

An einem festen Arbeitsplatz bekommt er aber nur einmal im Monat Geld. Das nimmt er dann und vertrinkt es sehr schnell. Beim Sklavenhändler dagegen bekommt er jeden Tag seinen Arbeitslohn.

Der Mann hat nichts gegen Ausländer. Er hat schon mit vielen zusammengearbeitet und findet sie in Ordnung. Er hat von ihnen gelernt, Knoblauch zu essen, und er hat sie zum Biertrinken mitgenommen.

Im Laufe des Tages werden beide Männer immer vertrauter miteinander. Schon kann Sindbad Guten Tag, Guten Morgen und Prost sagen, und er will nun sehr schnell arbeiten, damit die Eisenstangen in ein paar Stunden fertig sortiert sind.

Er glaubt, wenn er früher fertig ist, kann er auch früher nach Hause gehen.

Der Arbeiter klärt ihn darüber auf, daß das Gegenteil dann der Fall sei. Hat er nämlich seine Arbeit schneller fertig, erhält er sofort einen neuen Auftrag.

Auf alle Fälle muß er achteinhalb Stunden am Tag arbeiten. Nur mittags haben sie alle zwanzig Minuten freie Zeit.

»Wenn du dich jetzt ausruhen willst, dann komm mit in die Toilette. Dort sieht uns keiner«, fordert der Mann Sindbad auf.

Sie verstecken sich beide in der Toilette. Aber dort stinkt es sehr, so daß Sindbad es nicht ertragen möchte. Er schleicht sich nach draußen, streckt sich dort auf dem Betonboden aus und sonnt sich.

Plötzlich steht ein Herr in dunklem Anzug, weißem Hemd vor ihm. Er schreit Sindbad an, aber Sindbad versteht ihn überhaupt nicht. Sindbad ist sich auch keiner Schuld bewußt, denn all seine Eisenstangen sind ordentlich von ihm sortiert worden.

»Sie sind hier in Deutschland und nicht in Arabien!« feindet der feine Mann ihn an. »Sie werden hier nicht für das Schlafen bezahlt. Schlafen können Sie zu Hause und nicht hier bei uns. Hier müssen Sie arbeiten, dafür werden Sie auch bezahlt.«

Sindbad versteht nur ungefähr, was der Mann ihm sagen will. Aber er erinnert sich an die Worte von Mustafa Bülbül: Die Herren in den Fabriken sind die gleichen, denen du an dem ersten Tag im Grunewald begegnet bist. Sie haben kein Herz, und wenn es um Geld geht, kennen sie keine Entschuldigung. Überall wohin du gehst, wirst du ihnen begegnen. –

Sindbad denkt, wenn ich mich bei ihm entschuldige, wird sicher alles noch gut werden. Ich möchte nicht jeden Tag woanders arbeiten. Hier hätte ich einen Monat zu tun, und das würde reichen, um das Geld für die Heimfahrt sparen zu können.

Sindbad bittet einen Türken, mit ihm zu dem Abteilungsleiter zu gehen und seine Erklärungen zu übersetzen.

Die Sekretärin will die beiden Arbeiter nicht in das Chefzimmer lassen. Aber Sindbad läßt sich nicht zurückhalten. Der Türke übersetzt seine Worte: »Bitte entschuldigen Sie, ich habe meine Arbeit erledigt und bin sehr müde. Weil die Sonne so schön scheint, habe ich mich ein paar Minuten hingelegt. Ich habe mich gerade ausgestreckt, als Sie vorbeikamen. Bitte entschuldigen Sie, es soll dann nicht mehr vorkommen.«

Der Chef hat kein Verständnis für Sindbads Worte. »Morgen brauchen Sie gar nicht mehr wiederzukommen, für Leute wie Sie haben wir hier keine Verwendung.«

Traurig kehrt Sindbad in Mustafas Wohnung zurück und erzählt seinem Esel, was ihm alles passiert ist.

»Hab Geduld, vielleicht findest du morgen eine bessere Arbeit«, redet der Esel ihm gut zu.

»Komm, ich hab' Schichbarack für euch gekocht, das wird euch nach der schweren Arbeit schmecken.«

Sindbad fragt seinen Esel: »Hast du schon begonnen, dein Tagebuch zu schreiben?«

»Ja, das erste Kapitel ist fast fertig. Ich habe unsere Landung im Grunewald beschrieben, und wie wir die Bewohner der weißen Häuser vergebens um Gastfreundschaft gebeten haben.«

»Wirst du diese Erinnerungen veröffentlichen?« will Sindbad weiter von ihm wissen.

»Wenn sie gut werden, ja«, erwidert der Esel.

»Schreibst du sie wie ein Märchen?«

»Ja, es sind realistische Märchen. Sie spiegeln das wieder, was wir beide auf dieser Reise erleben.«

Während der Unterhaltung haben sie den Tisch gedeckt. Mustafa Bülbül kehrt auch von seiner Arbeit zurück, begrüßt Sindbad und den Esel und setzt sich zu ihnen an den Tisch. Sie lassen sich die Kochkünste des Esels schmecken.

Dann erzählt Sindbad Mustafa, daß er entlassen worden ist, weil er sich ein paar Minuten gesonnt hatte.

Mustafa Bülbül tröstet ihn: »Am Anfang habe ich auch öfters meine Arbeitsstelle verloren. Ich war noch nicht so lange in Deutschland, kannte auch die Gesetze nicht so, und ich war auch nicht in der Gewerkschaft dabei. Jetzt passiert mir das nicht mehr so schnell.«

»Was ist eine Gewerkschaft?« erkundigt sich Sindbad.

»Gewerkschaft ist die Organisation der Arbeiter. Sie vertritt ihre Interessen, aber sie kann nur unsere Interessen vertreten, wenn wir selbst mitarbeiten und nicht nur unsere Geldbeiträge für sie bezahlen«, erklärt Mustafa Bülbül seinen interessiert zuhörenden Freunden.

»Klingt gut, was du da sagst. Aber hast du wirklich schon etwas durch diese Gewerkschaft erreicht?« forscht Sindbad weiter.

»Ja, das kann ich dir an einem Beispiel zeigen: Ich habe einmal sechs Monate lang in einer kleinen Schlosserei gearbeitet. Danach wurde ich plötzlich entlassen, und man hat mir das zustehende Urlaubsgeld nicht ausgezahlt. Als ich nach meinem Geld fragte, redete man in dem Büro nur um die Sache herum, ohne mir eine klare Antwort zu geben. Sie dachten nämlich, weil ich Ausländer bin, wüßte ich nicht Bescheid. Ich aber habe mich bei meiner Gewerkschaft erkundigt. Dort sagte man mir dann, daß jeder, der arbeitet, auch Anspruch auf Urlaub hat. Mir standen vierzehn Tage Urlaub zu. Darauf bin ich zur Schlosserei zurückgegangen und habe mein Urlaubsgeld gefordert. Das ist nur ein Beispiel, und meine Kollegen können dir noch mehr erzählen.«

»Kann ich auch in die Gewerkschaft eintreten?« fragt Sindbad.

»Das wird schwierig sein, solange du keine Aufenthaltsgenehmigung und keine Arbeitserlaubnis hast. Morgen gehe ich mit dir zur Fremdenpolizei. Vielleicht geben sie dir dort eine.«

Nun will der Esel wissen, ob er auch eine Aufenthaltsgenehmigung braucht.

»Mit dir muß ich zum Tierarzt gehen, damit er dich untersucht. Wenn du gesund bist, mußt du auch registriert werden.«

»Warum ist das alles nur so kompliziert?« stöhnt der Esel.

»Es ist einfacher, in das Paradies zu gelangen. Da braucht man keine Papiere. Aber hier in Deutschland benötigt man für den kleinsten Kram ein Formular. Erst erledigen wir die Sache von Sindbad, dann kommst du an die Reihe, einverstanden?«

Der Esel nickt zustimmend mit dem Kopf.

Am nächsten Tag geht Mustafa Bülbül mit Sindbad zur Fremdenpolizei. Zuerst bekommen sie eine Wartenummer. Dann betreten sie einen Warteraum, eine große Halle voller Menschen. Sindbad trifft hier viele Landsleute und fühlt sich wie zu Hause. Angeregt und mit Freude unterhält er sich mit seinen Nachbarn.

Der Raum ist überfüllt, die Menschen sitzen so eng wie in einer Sardinendose. Es stinkt nach kaltem Zigarettenrauch, aber das stört Sindbad nicht.

Seinen Landsleuten erzählt er seine Geschichte, und sie laden ihn ein, bei ihnen zu wohnen. Er bedankt sich für ihre Gastfreundlichkeit und tauscht mit ihnen Adressen aus, und sie verabreden, sich einmal zu treffen.

Mehr als vier Stunden warten Mustafa Bülbül und Sindbad. Dann wird Sindbads Name und Wartenummer über den Lautsprecher ausgerufen, und er geht in ein anderes Büro. Eine Frau wendet sich dort an Mustafa Bülbül: »Spricht Ihr Freund Deutsch?«

»Ein bißchen«.

Mustafa Bülbül übersetzt die Fragen der Beamtin.

»Sind Sie hier schwarz eingereist?«

»Ja, aber nicht über Schönefeld«.

»In Tempelhof oder Tegel kann er nicht angekommen sein, dort paßt unsere Polizei auf, daß keiner ohne Aufenthaltsgenehmigung einreist«, korrigiert die Frau Mustafas Übersetzung.

»Er ist im Grunewald gelandet«.

»Wieso? Seit wann gibt es dort einen Flugplatz?«

Mustafa Bülbül erklärt ihr: »Sindbad kam auf seinem fliegenden Teppich. Er geriet in einen Sturm und stürzte in den Grunewaldsee. Dabei hat er auch seinen Teppich verloren«.

Die Frau glaubt, der Türke wolle sie zum Narren halten. Humorlos versteht sie gar nichts, wird wütend und schreit die beiden lautstark an. Bis zum großen Wartezimmer ist ihre Stimme zu hören.

»Es ist mir wurstegal, wie Sie hergekommen sind. Von mir aus können Sie mit einem fliegenden Teppich geflogen oder über die Mauer geklettert sein. Von uns bekommen Sie jedenfalls keine Aufenthaltsgenehmigung! Ich habe auch schon beim Arbeitsamt angerufen, und dort habe ich gehört, daß man Ihnen keine Arbeitserlaubnis erteilt hat. Wir haben keine Arbeit mehr für Ausländer. Selbst für die Leute, die offiziell hier sind, verlängern wir die Aufenthaltsgenehmigung nicht. Die Arbeitgeber haben nicht mehr so viel Arbeit zu verteilen.«

»Er wollte nur einige Monate hier bleiben und das Geld für eine Rückfahrkarte sparen«, wirft Mustafa Bülbül ein.

»Mich geht das nichts an, wie er zurückfährt. Ich kann meine Zeit nicht mehr mit Ihnen vergeuden. Gut, ich bin großzügig und gebe ihm die Aufenthaltserlaubnis für einen Monat als Tourist. Aber er darf während dieser Zeit nicht arbeiten, verstanden!«

»Kann man die Aufenthaltsgenehmigung nach einem Monat nochmal verlängern?« erkundigt sich Mustafa Bülbül.

»Nein, das kommt nicht in Frage. Nach einem Monat muß er Deutschland sofort verlassen.«

Sindbad bekommt einen Stempel in seinen Paß: Aufenthaltsdauer ein Monat. Sindbad hat fast das ganze Gespräch verstanden. Er weiß nun, woran er ist. Seinem Esel ergeht es nicht besser.

Er wird vom veterinärmedizinischen Institut des Gesundheitsamtes untersucht. Dann wird er geimpft, obwohl er schon in Bagdad alle Impfungen bekommen hatte.

Der Tierarzt möchte den Esel Sindbad abkaufen, weil er so ein kluger Esel ist und sich sogar unterhalten kann. Nur das Denken will er ihm noch abgewöhnen! Denn er meint, wenn der Esel erst bei uns in einem Zoo lebt, macht er sich womöglich falsche Gedanken.

Sindbad ist nicht bereit, sich von seinem guten Freund zu trennen. Folglich bekommt auch der Esel nur für einen Monat seine Aufenthaltsgenehmigung.

Bald ist Sindbad wieder gezwungen, schwarz zu arbeiten. Diesmal findet er eine Beschäftigung in einem Leichenbestattungsinstitut. Täglich muß er zehn bis zwölf Leichen waschen, und dafür erhält er dreißig Mark. Das ist etwas mehr, als er bei dem Sklavenhändler verdiente.

In dieser Zeit spart Sindbad jeden Pfennig für seine Rückreise. Als der Monat um ist und die Aufenthaltsgenehmigung abgelaufen, zerbricht er seine Spardose, zählt die Ersparnisse, sie reichen aber nicht für zwei Flugkarten. Was soll er nun machen? Schließlich will er doch auch seinen Esel wieder in die Heimat mitnehmen.

Länger kann er nicht mehr hierbleiben, um noch Geld zu sparen.

Da sammelt Mustafa Bülbül unter seinen Freunden und Genossen Geld für Sindbad und seinen Esel.

Sindbad ist überglücklich, endlich das Geld für die Rückreise zusammenzuhaben. Gleich geht er zum Reisebüro und will zwei Flugkarten erwerben. Sein ganzes erspartes Geld hat er dabei.

»Wohin sollen die zwei Flüge denn gehen?« wird er gefragt.

»Nach Bagdad.«

»Auf welchen Namen? Darf ich bitte die Pässe sehen?«

»Ich wünsche die Fahrkarten für mich und meinen Esel«, erklärt Sindbad.

Erstaunt fragt man ihn: »Für Ihren Esel?«

»Ja.«

»Sie und Ihr Esel können doch nicht in das gleiche Flugzeug. Sie müssen eine Passagiermaschine nehmen und Ihr Esel eine andere, eine Frachtmaschine. Allerdings muß ich erst einmal bei einer anderen Gesellschaft anfragen, ob sie den Esel überhaupt befördert. Der Preis für den Eseltransport ist doppelt so hoch wie für Ihren Flug.«

Sindbad: »Mein Esel kann sprechen. Er kann auch von oben nach unten und von unten wieder nach oben rechnen. Er ist ein kluger Esel. Hier in Berlin hat er sogar gelernt, mit Messer und Gabel zu essen.«

»Welche Kunststücke Ihr Esel kann, interessiert mich nicht. Jedenfalls darf er kein Passagierflugzeug benutzen. Wo denken Sie denn hin – ein Esel bleibt ein Esel, auch wenn er einen Hut auf dem Kopf trägt. Soll ich nun die Frachtgesellschaft anrufen oder nicht?«

»Und was würde das kosten?«

»Das doppelte.«

»Lassen Sie es«, gibt Sindbad traurig zur Antwort.

Tief betrübt verläßt er das Reisebüro.

Auf der Straße weint er wie ein Kind. Beim Weitergehen kommt er zu einer Stelle, wo gerade Sperrmüll abgelegt wird. Erstaunt beobachtet Sindbad, wie Leute alte Sachen auf einen großen Haufen werfen, und andere wieder sich wie Geier auf diese abgelegten Stücke stürzen, darin herumwühlen und sich gegenseitig die besten Sachen wegschnappen. Jeder nimmt sich, was er kriegen kann: alte Fernseher, Waschmaschinen, Sessel, Betten, Tische, Teppiche. Sindbad fragt bei einem Türken, was hier denn los sei. »Das ist eine Sperrmüllaktion. Die einen schmeißen weg, was sie nicht mehr brauchen, die anderen holen sich, was sie brauchen; nehmen Sie sich doch etwas mit für Ihre Wohnung!«

Sindbad gefallen zwei Sessel. Er möchte sie Mustafa Bülbül schenken. Sie würden gut in seine Wohnung passen. Sindbad schleppt die beiden Sessel zur Seite, unter ihnen liegt zusammengerollt ein alter Teppich.

Er bückt sich danach und entdeckt, daß er seinen fliegenden Teppich hier wiederfindet.

Vor lauter Freude beginnt er zu lachen, nimmt den Teppich unter den Arm und tanzt damit die Straße entlang.

Nun kann ihm nichts mehr passieren. Er hat seinen Teppich wieder.

Als er die Tür zu Mustafas Wohnung öffnet, jubelt er: »Ich hab' ihn wieder, ich hab' meinen fliegenden Teppich wieder. Heute abend geben wir ein großes Abschiedsfest, und um Mitternacht treten wir die Reise zurück nach Bagdad an.«

Am Abend kommen alle Freunde und Genossen zu dem Fest. Sie genießen türkische Süßigkeiten, trinken starken Kaffee und rauchen an der Wasserpfeife.

Alle freuen sich mit Sindbad über seinen wiedergefundenen Teppich.

Mustafa Bülbül freut sich auch mit ihm, aber andererseits ist er traurig geworden über die Trennung von Sindbad, denn sie sind gute Freunde geworden. Obwohl er schon viele Jahre in Deutschland arbeitet, ist es auch für ihn nicht leicht. Er will nur noch etwas Geld sparen und dann auch in sein Heimatland zurückkehren.

Kurz vor Mitternacht zieht Sindbad Jacke und Hose aus und gibt sie an Mustafa zurück. Dann streift er seinen Kaftan über und wickelt sich den Turban um den Kopf. Er bedankt sich bei

Mustafa Bülbül und bei den Freunden und Genossen herzlich für ihre Gastfreundschaft, reicht allen die Hand, umarmt Mustafa Bülbül und küßt ihn: »Was ich, Sindbad, hier erlebt habe, werde ich nie vergessen. Das war meine letzte Reise. Ich werde nicht mehr versuchen, der Realität zu entfliehen. In meiner Heimat werde ich festen Fuß fassen und zu Hause nur die Wahrheit über dieses Land erzählen.«

Sindbad steigt zum Dach des Hauses, auf seinen fliegenden Teppich.

Der Esel setzt sich neben ihn, und immer schneller erhebt sich der Teppich mit ihnen in die Lüfte.

Nach und nach lassen sie den düsteren, rauchgeschwärzten Himmel hinter sich zurück, und vor sich sehen sie die Sterne klar und hell.

Sindbad steuert in Richtung Bagdad und schließt beruhigt seine Augen. Er schläft ein und träumt von seinen zwei Löwinnen am Flußufer, den großen und den kleinen Fischen im Ozean, von Salomons Schatz im Tempel und von dem schwarzen Tier.

Aber diesmal holt er seinen Dolch hervor und sticht zurück, dem schwarzen Tier genau ins Herz. Allein schafft er es nicht, das Tier zu töten. Deshalb holt er Hilfe, es kommen viele Freunde. Sie alle helfen, das schwarze Tier zu töten, bis es sich nicht mehr rühren kann.

Nun ist der Weg frei zu Salomons Schatz. Alle nehmen sich von dem Schatz, ein jeder, soviel er braucht.

Keiner geht leer aus. Sie brauchen keine Angst mehr zu haben, daß das schwarze Tier zurückkehrt.

Als Sindbad erwacht, befindet er sich vor einem Café im Basar von Bagdad.

Er begegnet da einer Menge Bauern, die ihre Felder verlassen haben und darauf warten, nach Deutschland fahren zu können. Sie wollen in einer Fabrik arbeiten.

Sie sind neugierig, als sie hören, daß Sindbad und sein Esel gerade aus diesem Land kommen, und sie wollen hören, wie man dort als Gastarbeiter lebt.

Aber als sie Sindbads leere Hände sehen, wundern sie sich. Einer ruft: »Wo ist das Auto, Sindbad? Wo ist denn der Fernseher, die Waschmaschine? Wo sind die guten Hemden?«

Darauf erzählt Sindbad den Menschen, die sich um ihn versammelt haben, seine Geschichte.

JUSUF NAOUM
Das gelobte Land

Vor einigen Jahren ging Mansur
aus der Heimat weg.
Er zog ins gelobte Land.
Das sollte weder Hunger
noch Knechte und Mägde kennen.

Die Versprechungen waren
flüchtiger als der Wind.
Geblieben sind die Schmerzen,
wunde Knochen und
das Fieber unter der Haut.

BETH ANN MARTIN
Angst

Ich habe Angst
    weil ich nicht mehr verstehe
Ich bin ohne jegliche Vorstellung
    von dieser Welt
Ja, ich lese Zeitung
    aber was hilft das?

Ich habe nun gerade gelernt
    daß ich keinen fragen darf
        was er gewählt habe
    daß der Krieg
        kein öffentliches Thema sei
Ich muß mich zurückhalten bevor
    ich jemanden freundlich frage
        was er für Arbeit habe
        wo er wohne
        wieviel Kinder er habe
Wie soll ich denn rein kommen?

Und hier lese ich gerade von einer Entführung
Passiert ja auch ab und zu in meiner Heimat
    aber ohne Alarm, keine Unruhe
    »es wird gelöst« sagt man
Wie denn soll ich
    das Schwärmen von Polizisten auf der Straße damit ver-
                binden
Und wenn ich das in Verbindung bringen würde
Könnte ich begreifen warum ein Grieche
    der ohne seine Papiere vorzuzeigen
    ohne vor der Polizei anzuhalten
                    plötzlich tot ist?

Deshalb habe ich Angst
    ich befürchte
    ich werde mal falsch wegfahren
        und erschossen werden

ELISABETH GONÇALVES
Weil . . .

Weil der Wind weht
an meinem Fenster vorbei
und Wolken ziehen dicht
zu mir hin,
nehme ich meine Seele
bei der Hand
und schreibe ein Gebet
für Nichtgläubige:
Mein Deutschland,
verzeihe, daß ich kein Auto habe,
kein Motorrad fahre,
meinen Taschenrechner vergaß,
und kein Geld heute
auf die Bank brachte.
Ich verspreche dir,
mich in der Zukunft zu bessern,
artig mehr in die Welt zu reisen,
jeden Tag das Wirtschaftsblatt zu lesen
und aktiv an der Politik teilzunehmen.
Schütze meinen Hund vor den Menschen,
Kindern und anderen bösen Tieren
und sorge, daß er nie hungern muß.
Danke für die tägliche Schokoladentorte
mit Sahne
und das nackte Mädchen
am Frühstück
und . . .
weil der Wind weht an den Herzen
der Menschen vorbei,
ziehen Wolken dicht und dichter
in diesem Land herbei.

Ein Kind kommt ins Schlaraffenland. Es hat schon längst davon gelesen und möchte es nun einmal mit eigenen Augen sehen.

Vor der Stadt steht ein riesiger Berg aus Möbeln, Spielzeug, Kinderwagen, ja sogar Autos. Diesen Berg nennt man »Müll«.

Das Stadttor öffnet sich automatisch. Von hier an braucht man keinen Schritt mehr zu tun. Die Straßen »laufen« von selbst. Hohe Häuser ragen an beiden Seiten in den Himmel, besetzt mit farbigen Glasplatten, die die Sonnenstrahlen reflektieren.

Die Geschäfte haben keine Fenster. Lächelnde Roboter machen Reklame vor dem Eingang.

Von weitem duftet das Bier, das schaumig aus dem Bierbrunnen strömt und in einen Kanal fließt. Der Brunnen ist mit Markstücken bepflastert und wird durch einen Computer kontrolliert. Gemästete, in Plastik verpackte Brathähnchen fliegen in der Luft vorbei.

An allen Straßenecken stehen Automaten. Der erste spuckt ununterbrochen Eis aus, der zweite Kaugummi, der dritte kühles Getränk. Tasten, Knöpfe und Pfeile nehmen kein Ende.

Überall dröhnen unrhythmische Töne, gespensterartige Schatten schlängeln sich wild in schwankenden Lichtern herum.

Plötzlich steht das Kind vor einem großen Bildschirm, der die ganze Stadt widerspiegelt.

»Wo sind denn die Menschen?« fragt es neugierig, denn es hat bis jetzt noch keine gesehen.

»Dort«, antwortet der Computer mit einem Pfeil auf dem Bildschirm.

In unzähligen Blechkästen, die blitzschnell um die Stadt herumkreisen, sitzen die Menschen. Vor jedem Blechkasten hängt eine Uhr.

»Die Unglücklichen«, denkt das Kind und geht dem Stadttor zu, das sich automatisch öffnet.

JOHN GROSSMAN
Doležel

Ich hatte es mir damals angewöhnt, öfters die späten
Abendstunden in der kleinen bunkerähnlichen Kneipe gegenüber zu verbringen. Sie war, wie das benachbarte Hochhaus, in
dem ich wohnte, ein Bastardkind der Olympiade, ein Keller-
raum in einem Mehrzweckungeheuer aus Beton und Stahl, zü-
gig gebaut worden und zugig geblieben – besonders im Winter.
Ich hatte den Eindruck, daß man sich erst in letzter Minute
dafür entschieden hat, hier eine Wirtschaft einzurichten, denn
trotz des gedämpften Lichts und der Holzbänke wirkte das
Ganze wie eine umgebaute Wäscherei. In diese Potemkin-Ge-
mütlichkeit begab ich mich öfter, als ich es für angemessen oder
gar gesund hielt: die kleine Kneipe schien eine ungeheure Anziehungskraft auszustrahlen, die in keinem Verhältnis zu ihrer
winzigen Größe stand. Sie war aber nur die nächstliegende Stu-
dentenwirtschaft mit dem dazugehörenden Kader von Altstu-
denten und Jungpennern – Stammgäste, die weder Familienna-
men noch Adressen besaßen. Von diesen war tagsüber in der ganzen Stadt keine Spur zu sehen, doch schlug die elfte Stunde, kro-
chen diese Pintenvampire aus ihren Särgen und schlichen durch
die Finsternis zu der Kneipe, wo sie sich allabendlich trafen.
  Die Szenerie, die sich meinen Augen darbot, als ich an jenem
Abend in die Tür trat, war mir schon wohlbekannt: links um
den ersten Tisch saß eine Gruppe Sportler, die ich zwar nicht
persönlich, doch vom Sehen kannte. Der eine erzählte gerade
von einem Slalomlauf mit einer Zunge, die ihm nicht mehr ganz
gehorchte. Das Bier seines Tischnachbarn schien wegen seiner
schnellen Abfahrt den neuen Saisonrekord schon in der Tasche
zu haben. Aber Rekorde im Langlauf würden die beiden heute
abend nicht schaffen – das sah man auf den ersten Blick. Franz
befand sich wie üblich im Kreisflug durch den Raum; er steuer-
te langsam von einem Tisch zum anderen, sammelte die leeren
Gläser ein, knallte sie mit einem gewissen Triumph auf die
Theke und begann erneut seinen Rundgang. Er war keine Be-
dienung, sondern machte das freiwillig. Sein bleiches Leichen-
gesicht und seine gläsernen Augen deuteten auf einen beachtli-
chen Rausch hin, so daß die maschinelle Genauigkeit, mit der er
seine Sammelaktion ausführte und sein Universum in Ordnung

hielt, nur noch als Wunder zu bezeichnen war. Wurde er in seiner Tätigkeit gestört, so richtete er seinen bohrenden Blick auf den Nabel des Betroffenen, erteilte diesem die knappe Auskunft: »Musch ja aufräumn« und schob ihn sanft, aber entschlossen zur Seite. In die entgegengesetzte Richtung kreiste Pete, gängiger Information nach ein westafrikanischer Pharmaziestudent, der sein Studium abgebrochen hatte und jetzt eine nicht näher beschriebene Existenz führte. Fest stand nur, daß er jeden Abend hier anzutreffen war. Er hielt an jedem Tisch, ungeachtet, ob er dort willkommen war. Mit tiefer, ernster Stimme und strengem Blick (allerdings dicht an seinen Zuhörern vorbei, denn der Abend war nicht mehr jung) trug er vor: »Es war einmal ein Mann ...« Weiter kam er nicht, denn dieser mächtig tiefe Anfang versetzte ihn offensichtlich in ein solches Staunen über seine eigene literarische Begabung, daß er nicht imstande war fortzufahren.

Meine Augen hatten sich inzwischen an die Tabakeinnebelung gewöhnt, und als ich an der Theke ein Bier bestellte, erkannte ich Karl-Heinz und Robi, die zusammen mit einem unbekannten Dritten um eines der Holzfässer standen, die man vor die Theke hingestellt hatte. Die Belegschaft schien also vollständig zu sein, einschließlich dieser zwei tragenden Säulen der Bierstube, und eine unterhaltsame Zecherei war so gut wie gesichert. Ich zahlte und stellte mich zu den drei Faßbetreuern.

Ich spürte sofort, daß sich an diesem Abend etwas radikal anderes abspielte als das übliche gefriergetrocknete Biertischgeplauder. Karl-Heinz und Robi hörten dem Fremden gierig zu, wie dieser in schleppendem Deutsch eine Geschichte erzählte, als wäre sie das selbstverständlichste Alltagsgeschwätz. Nur das Tanzen seiner Augen und der kleinste Ansatz eines Lächelns verriet, daß er sich der fesselnden Wirkung seiner Worte völlig bewußt war.

»Das mußt du mal hören!« Karl-Heinz griff mich am Ärmel, zerrte mich ans Faß.

»'n Abend allerseits. Ja, was is' denn?« fragte ich.

»Der hat ein Flugzeug entführt!« quietschte Robi.

Ich muß den Fremden wohl erschrocken angestarrt haben, denn auf einmal lachte dieser laut auf und schüttelte heftig den Kopf. Noch grinsend fuhr er fort:

»Das stimmt alles. Ich erzähle es dir – es ist allerdings eine lange Geschichte. Ich heiße Karel Doležel oder, wie die Deutschen sagen, Doletzel, und ich komme aus der Tschechei ...«

Wie die anderen stand ich wie festgeschweißt, während dieser Karel uns seine Vergangenheit offenbarte. Ein waschechter Terrorist, dachte ich, na, also!

Es war im August 1968, begann seine Erzählung, nur wenige Stunden nach dem Einmarsch hatten die ersten Gerüchte das Dorf erreicht. Die hätten zwar die Hauptstadt mit Panzern besetzt, hieß es, aber man würde schon zurückschlagen, man müßte, notfalls mit den bloßen Händen ...

Zunächst herrschten chaotische Verhältnisse. Sämtliche Telefonleitungen zu der Hauptstadt, aber auch die zu Plzeň und Kladno, waren unterbrochen. Es wurde anscheinend fast der gesamte Güterverkehr mit Prag und erst recht der Personenverkehr lahmgelegt. Es hieß, man ließe nur noch Lebensmittel passieren. Von den Besetzern war am ersten Tag wenig zu sehen, erst gegen Einbruch der Dunkelheit belegte eine sowjetische Funkereinheit ein paar Bauernhöfe unfern vom Ortsausgang. Ein allgemeines Ausgehverbot wurde angeordnet. Die Posten trugen alle volle Gefechtsausrüstung mit Sturmgewehr.

Am anderen Morgen waren sie überraschenderweise wieder abgezogen. Das Dorfleben ging zunächst ungestört weiter, und man hätte fast annehmen können, es wäre nur ein Manöver gewesen. Doch gegen Mittag trafen die ersten detaillierten Berichte aus Prag ein: Straßenkämpfe dauerten unvermindert an trotz Ausgehsperre und Panzereinsatz. Dubček, hieß es, war schon in Haft, wie auch das gesamte Politbüro. Gerüchte von seiner Hinrichtung wollte man mangels Information nicht bestätigen. Auf jeden Fall war die Lage ernst, denn neben den Sowjets hat man Einheiten der deutschen und der ungarischen Armee gesehen. Diese allerdings nicht in Prag selbst, sondern in der Umgebung. Und der Westen? Na ja, der Westen ... Man stand also allein.

In der Belegschaft diskutierte man heftig, leidenschaftlich, doch ergebnislos. Wie damals die Deutschen, hieß es, wie damals die Ungarn. Man redete durcheinander, man schrie, man schlug mit der Faust auf den Tisch. Einige sprachen von Kampf und Widerstand, andere, gemäßigter, von Strategie und Planung, andere von einem taktischen Rückzug, um Zeit zu gewinnen, und noch andere vom Abwarten. Man fühlte sich überfallen, verraten. Man wurde in einem Streich besiegt, es war nicht abzustreiten, dagegen konnte man kaum etwas unternehmen, bloß dies zugeben wollte keiner.

Der LKW traf gegen Abend ein, als es fast schon dunkel war.

Doležel war dabei, als die beiden Fahrer aus der Kabine stiegen und die Türe hinten aufmachten. Sie blieben stumm, als sie anfingen, das Auto zu entladen, doch die roten Augen in den bestaubten Gesichtern sagten deutlich: »*Wir* schlagen zurück!« Es waren Gewehre. Sie blickten Doležel an, er sie. Man hatte sich verständigt.

So begann für Karel ein Leben des Widerstandes – mal offen, mal geheim, mal aktiv, mal passiv. Anfangs genoß man die volle Solidarität eines gemeinsamen Strebens. Selbstlos und mit Zukunftsblick gingen alle ans Werk. Man würde schon die verlorene Freiheit zurückgewinnen, wenn man nur mannhaft standhielt und jeder das Seine tat. Es wurden Strategien entwickelt, geheime Treffen organisiert, für Deckung und Logistik gesorgt . . .

Als er seine vergangenen Taten wiederbelebte, gewann Doležel zunehmend an Lebendigkeit. Hände und Augen füllten die Lücken, die sein überbelastetes, angelerntes Deutsch zurückließ. Es war eben kein Erzählen – es war ein leidenschaftliches Wiedererleben. Äußerlich blieb er zwar gefaßt, doch diese Gefaßtheit war wie die Ruhe eines angespannten Drahtseils kurz vorm Zerreißen. Seine Augen blieben in ständiger Bewegung. Unter den schweren Brauen flogen sie von einem von uns zum anderen. Sie hielten uns an der Stelle fest, zielten, musterten, urteilten. Wenn er lachte, dann flüchteten die Falten seines Gesichts vor den Mundwinkeln und den hochgezogenen Augenbrauen. Aber als er tonlos die Wörter »Angst« und »Verzweiflung« aussprach, schienen sich die Falten zu vertiefen.

Angst und Verzweiflung waren es, die bei Doležel und seinen Freunden die Oberhand gewannen. Der Russe war schon längst abgezogen, und gegen einen Schatten konnte man schlecht kämpfen. Der konkrete Feind hatte sich in den staatlichen Nebel aufgelöst, der nicht einzudämmen war und der in seiner Allgegenwart lähmender wirkte als die konzentrierte sowjetische Waffengewalt. Aller Widerstand rostete ein. Aber es waren nicht nur die Spitzel und die Repressalien; die Unentschiedenheit tat auch ihren Teil: gewaltsam oder gewaltlos? Aktiv oder passiv? Es blieben nur noch symbolische Handlungen: Gegen einen Fernsehsender wurde ein Sprengstoffanschlag verübt. An Demonstrationen wurde teilgenommen. Für die Angehörigen von Inhaftierten wurde gesorgt. Die Frustration breitete ihren Brückenkopf aus, und man suchte nach dem Ausweg, den es nicht mehr gab. Den Sicherheitsorganen war man schon bekannt, und es schien nur eine Frage der Zeit zu sein, bis sich das Problem von selbst lösen würde.

Im April 1972 kamen die ersten Fahndungsmeldungen des Staatssicherheitsdienstes. »Bei der ersten Gelegenheit hauen wir ab!« Sie hatten zwar oft miteinander darüber gesprochen, aber daß es jetzt doch soweit gekommen war, konnten weder Karel noch Antonin recht glauben. Doležel hatte ja auch die Frau und die zwei Kinder, die zurückbleiben müßten ... Aber jetzt galt es, sich zu stählen, den letzten Sprung zu machen. In der Tschechoslowakei hatten sie nichts mehr zu suchen. Dazu war es doch wie einprogrammiert: es hieß, die Ausweisung von mit der Todesstrafe bedrohten Personen aus der Bundesrepublik Deutschland sei verfassungsrechtlich verboten, also gleich los!

Mit Antonin fuhr er am 18. April in einem Taxi zum Prager Flughafen. Slov Air nach Mariánské Lázně, ungefähr 15 km von der deutschen Grenze – das würde reichen. In der Luft brachen sie die Tür ein und mit Waffen im Anschlag schrien sie die Piloten an, den Kurs auf der Stelle zu ändern. In dem Moment zuckte der Kopilot ...

»Ich habe sofort mit beiden Pistolen geschossen. Ich ... wußte zunächst nicht, ob er noch lebte – ich hatte ihn ziemlich schwer getroffen, und da war viel Blut. Der Pilot neben ihm änderte den Kurs ohne zu zögern. Er leistete überhaupt keinen Widerstand.«

Er sprach jetzt sachlich, kühl, ohne Stolz, aber auch ohne Scham oder Reue. Das Leidenschaftliche an seinen Gebärden verebbte und an seine Stelle trat eine Gelassenheit, die an Müdigkeit oder gar Langeweile zu grenzen schien. Dabei sah er uns nicht mehr an, sondern blickte nur fortwährend auf sein Bierglas, als wäre etwas hineingefallen. Überlegend schwieg er einen Augenblick, dann fuhr er etwas langsamer fort. Seine Augenbrauen hatten sich zusammengezogen, und er machte den Eindruck, als ob er von der eigenen Geschichte etwas verwirrt sei und sie wohl nicht ganz verstehe.

Sofort nach der Landung in Nürnberg ergaben sie sich der Polizei. Doležel händigte die zwei Pistolen und ein Sprengstoffpaket aus. Man würde sie wohl eine Zeitlang einsperren müssen, aber danach: Freiheit! Lange könnte es nicht dauern ...

Die bundesdeutschen Behörden waren hier anderer Meinung. Im März 1973 wurden Doležel und Antonin Lerch zu sieben Jahren Freiheitsstrafe verurteilt wegen Entführung eines öffentlichen Verkehrsflugzeugs und Körperverletzung. Infolge dieser

Verurteilung wurde ihnen politisches Asyl nicht gewährt. Die Entführung stellte für das Bundesamt für die Anerkennung ausländischer Flüchtlinge eine »terroristische Handlung« dar, die durch keinerlei politische Verfolgung zu rechtfertigen sei. Am 18. März wurde ihr Widerspruch zurückgewiesen. Nach der Haftentlassung würde man sie in die Tschechoslowakei abschieben. Sie hatten, so schien es, nur vorläufig ein tschechisches Gefängnis gegen ein deutsches getauscht.

Doležel stellte sich auf eine lange kalte Tour ein. Von den Rechtsanwälten verstand er längst kein Wort mehr – auch in tschechischer Übersetzung nicht – und ihre Papierschieberei mit den verschiedenen Klagen und Gegenklagen ließ ihn unberührt. Wer er war und was er zu tun und zu lassen hatte, lag nicht mehr in seinen Händen, sondern auf einem juristischen Seziertisch außerhalb seiner Reichweite. Während in Amtsstuben und vor Gericht eine neue Gattungsbezeichnung für den Terroristen/Flüchtling »K. Doležel« gezimmert wurde, lernte die zu dieser noch nicht näher definierbaren Bezeichnung gehörende Person, daß man zu záchod »toiletta« sagt und zu nerozumim »ikhverstehnikht«. Er lebte nur noch in den Tag hinein, versuchte, sich möglichst reibungslos in die Gefängnisordnung einzufügen, was ihm auch zum größten Teil gelang. Es überraschte ihn, daß die Straubinger recht international waren. Neben den Deutschen saßen auch Engländer, Franzosen, Italiener, Türken und Amerikaner ein. Manche zeigten Verständis für seine Lage, anderen war er nur »der Fluogzeigtschech mit der Asylgschicht«. Es war viel Neues, viel Verwirrendes dabei in dieser ersten Begegnung mit dem Westen. Aber zu alldem kam etwas allzu Handfestes aus der tschechischen Heimat: seine Frau hatte sich von ihm scheiden lassen. Jetzt konnte er nur noch hoffen, daß er sich doch richtig entschieden hatte.

Am 19. Dezember 1976 wurden Doležel und Lerch auf Bewährung aus der Strafvollzugsanstalt entlassen. Laut Bundesverwaltungsgericht durften sie wohl auch Asyl erwarten. Es waren insgesamt vier Jahre gewesen, und die Zeit hatte auch ihre Wirkung auf Doležel gehabt.

»Wir hatten falsche Information gehabt. Wir glaubten keine so harte Strafe zu bekommen, wenn wir aus einem besetzten Land in die Freiheit fliehen. Auf so was waren wir nicht gefaßt. Ich zumindest nicht. Jetzt stehe ich hier und warte. Immer noch. Das Einzige, was ich in der Hand habe, ist das hier.«

Er zog seinen amtlichen Meldezettel aus der Tasche.

»Und deine anderen Papiere?« fragte ich.

»Hat das Gefängnis. Frage mich nicht, ob oder wann ich sie wieder kriege.«

»Aber du hast doch mindestens einen Job?« warf Robi ein.

»Das schon. Und eine Wohnung. Ich arbeite in Dachau als Dreher. Ich mache das, bis . . . ja . . . ich mache das nur. Ich weiß nicht, was kommt. Ich habe gehört, es gibt eine tschechische Organisation in Amerika. Mal sehen . . .«

»Mit den Exiltschechen willst du doch nichts zu tun haben«, sagte Robi. »Ich kenne die von hier. Die sind schlimm.«

Doležel zuckte nur die Achseln und leerte sein Bierglas. Darauf entschuldigte er sich und verschwand in Richtung Toilette.

Sofort brach eine lebhafte Diskussion in der Gruppe aus. Inzwischen hatten sich Karl und Christian zu uns gestellt. Der leitende Vorsitzende Karl-Heinz eröffnete diese Sondersitzung des Bierstubenrats mit der Feststellung, daß man »so was« nicht jeden Tag zu Gesicht bekomme und daß man »so ein paar Sachen« erlebe, bevor man sein Besteck abgebe. Herr Robi war seinerseits ganz sicher, daß Doležel schon in die Hände der Exiltschechen geraten sei, von denen es »jede Menge« in der Stadt gebe und daß dies wohl negativ zu bewerten sei. Im übrigen habe er es ganz lustig gefunden, daß man von Doležels Dorf zum Prager Flughafen mit dem Taxi gefahren sei. Das könne sich hierzulande keiner leisten. Hinsichtlich dieser Taxigeschichte herrschte unter den Bierstubenratsherren weitgehend Einigkeit, ja es wurde sogar eine gewisse Diskussionsbasis geschaffen in bezug auf wichtige transportwirtschaftliche Fragen. Vorläufig galt es, einen Preisvergleich europäischer Taxiunternehmen durchzuführen, an dem sich Herr Robi und Herr Christian eifrig beteiligten. Aktenkundig wurde das Ergebnis, daß Athen dem Kutschierten wohl am günstigsten sei, mit Ausnahme der Ostblockstaaten, wenn man schwarz tausche. Herr Karl-Heinz riet seinen Kollegen davon ab, sich mit »so einem Schwachsinn« zu befassen und fuhr fort mit der These, hier liege ein fundamentales Problem der sozialen Anpassung zugrunde, da Doležel aus einer ganz anderen Struktur komme; man möge also sein Leben und Wirken möglichst global auffassen. Man komme zwangsläufig zu der Schlußfolgerung, daß seine Lage »als Mensch« erheblich und unnötig verschlechtert werde durch Strauß und gewisse neofaschistische Kräfte, die, wie auch immer, am längeren Hebel säßen und dadurch . . .
Herr Christian erhob gegen diese Wendung den Einspruch, daß

es sich bei der Rede des Herrn Vorsitzenden wohl um totalen Quatsch handle, daß er schon wieder alles durcheinanderbringe und an sein Lieblingsthema anzuknüpfen versuche. Standhaft verteidigte sich Herr Karl-Heinz: man mißverstehe ihn; sein Schema schließe wohl ein, daß ...

Ich unterbrach meine gedankliche Protokollführung. Karl-Heinz hatte den Kern der Sache beinahe getroffen. Leider blieb, wie fast immer, ein guter Anfang in dem undurchsichtigen Karl-Heinzschen Polit-Sumpf stecken. Ich hörte noch abwesend zu, wie die anderen den uralten, aufgewärmten Streit auf Doležels Fall übertrugen. Das Gespräch würde ergebnislos enden, die Beratungen würden vertagt werden, wenn das Thema anfing, sie zu langweilen. Es ging nie um bestimmte Meinungen, sondern nur um das Argumentieren selbst. Ich stellte mir heimlich die nächste Frage, zu der Karl-Heinz nie richtig kam: Wie ging es jetzt weiter mit diesem einzigartigen Mann? Seine früheren Ziele, seine Herkunft, Dubček, eine nichtmehr-seine Frau und zwei nichtmehrseine Kinder – das alles blieb nur interessanter Gesprächsstoff für einen flüssigen Abend, ein Thema, das im Grunde keinen einen Dreck anging. Die Erinnerung würde mit dem morgigen Kater verschwinden. Nur bei Doležel nicht. Es blieb die Frage: Hat sich das alles doch irgendwie gelohnt? Hat er noch Ziele, Hoffnungen? Es war eine Frage, die keiner von uns stellte, denn einem möglichen »Nein« wären wir wahrscheinlich nicht gewachsen. Als Neuling mit einer spannenden Geschichte war er willkommen, aber als Mensch in Not, der einen festen Halt suchte, scheute man ihn. Er war uns unheimlich – und dies nicht wenig. Seine Erfahrungen überstiegen unser aller Erkenntnisvermögen, nicht zuletzt das Robis und Christians, die seit fünf Jahren kaum noch Kontakt außerhalb der Kneipe hatten. Wir hätten uns selber fragen müssen, was wir hier tagaus, tagein zu suchen hatten, wo wir selber hinsteuerten. Die meisten Stammgäste in diesem Lokal wichen dieser Frage seit langem aus und hatten nicht einmal meine Ausrede, daß man nur gegenüber wohne.

Als er zurückkam, fing man an, ihn auszufragen. Wie es wohl sei, »Widerstandskämpfer« in der Tschechoslowakei zu sein, was man drüben von der Bundesrepublik halte, wie er die West-Sender sehe, wie der allgemeine Informationsaustausch funktioniere, ob das stimme mit den Käuferschlangen für Fleisch? Vor allen anderen zeigte sich Robi richtig gierig auf Antworten. Er verhörte Doležel wie ein Schiffbrüchiger, der erst nach Jahren wieder Kontakt zur Außenwelt bekam. Karel seinerseits bemühte sich, die Verhältnisse in seiner Heimat so verständlich wie möglich zu schildern. Dies gelang ihm manchmal nicht, und er mußte wiederholt nach den treffendsten Worten suchen. Dabei war es nicht nur ein Verständigungsproblem, denn über Russisch, das Karel und ich beide als Fremdsprache sprachen, konnten wir viele der spezifisch tschechischen Ausdrücke entziffern. Vielmehr schien eine Kluft zwischen unseren Erfahrungen und seinen die Ursache der Schwierigkeiten zu sein. Wir sahen zum erstenmal lebendig vor uns, was wir sonst nur aus der Tagesschau kannten und was als solches eigentlich keine weitere Wirklichkeit haben durfte. Außer mir und Karl-Heinz in seiner Luftwaffen-Grundausbildung hatte keiner je eine Pistole in der Hand gehabt, geschweige denn, auf einen Menschen geschossen. Gefängnisse kannten wir nur vom Bildschirm. Vor allem bei Robi und Christian hatten die monatlichen Überweisungen vom Alten jede höhere Überzeugung und Opferbereitschaft längst begraben. Man konnte diesen sonderbaren Tschechen als Helden betrachten oder ihn als leichtgläubigen Idealisten sehen, der zuviel für zuwenig aufs Spiel gesetzt und verloren hatte – beides wäre nicht ganz falsch gewesen. Aber fest stand, daß er in einer entscheidenden Situation einen Mut gezeigt hatte, der ihm nicht abzustreiten war. Mit diesem Mut war die Risikobereitschaft, die die anderen zeigten, als sie in der Sperrstunde auf dem Heimweg bei Rot über die Ampel stolperten, überhaupt nicht zu vergleichen.

Ich hatte mich aus dem Kreuzverhör herausgehalten. Es war für mich vieles, das erst verarbeitet werden mußte, und die Fragen, die ich für wichtig hielt, wollte ich nur unter vier Augen stellen. Karl-Heinz, normalerweise unser Kneipen-Sokrates, hatte sich auch ungewöhnlich zurückhaltend gezeigt. Er schien auf eine sonderbare Weise nachdenklich zu sein. Als man um halb eins den Ausgabeschluß ankündigte, machte er Anstalten zu gehen. Den anderen nickte er zu, Doležel gab er die Hand.

»Du, Karel«, sagte er, »wir sind fast jeden Abend hier. Schau noch mal vorbei – und – ja –, macht's gut!«

Dann suchte er beunruhigt meine Augen und lächelte verlegen. Ich spürte sofort, daß auch er diese Begegnung in nächster Zeit nicht vergessen würde. Mit einem letzten »Servus, alle!« war er durch die Tür.

Wir entschlossen uns, in die Studentendiskothek nebenan zu gehen. Das Bier war zwar teurer, aber zumindest hatten sie noch bis drei auf, was in der Stadt die Ausnahme war. Karl entschuldigte sich in der Tür mit der Begründung, er müsse früh aufstehen. Die anderen gingen mit Doležel und mir hinein.

Wie üblich war die Musik vernichtend laut und die tabakverqualmte Luft fast eine Flüssigkeit. Robi und Christian lösten sich irgendwo in der Menge auf, was mir recht war, denn ein Gespräch mit mehr als zwei Personen war bei dieser Lautstärke unmöglich. Als wir uns an die Theke gesetzt und Bier bestellt hatten, merkte ich auf einmal, daß es schon wieder so weit war. Am nächsten Morgen würde ich wahrscheinlich noch einmal der Bierstube für »immer und ewig« abschwören. Ich bemühte mich, einen klaren Kopf zu behalten, doch zu dieser späten Stunde war das keine einfache Aufgabe. Ich konzentrierte mich auf die lebendige Bühne vor uns:

Auf der Tanzfläche befanden sich zum größten Teil Schülerinnen im Alter von 16–18 Jahren und Studenten. Das Lokal war zum Bersten voll, so daß sich die zusammengepreßten Tänzer fast nur noch senkrecht bewegen konnten. Ringsum standen, rauchend und abwesend auf die Tanzenden schauend, ältere, fein gekleidete Studenten und grell geschminkte Mädchen. Über der Tanzfläche hing blauer Dunst. Das gesamte Tableau erinnerte sehr stark an spätmittelalterliche Höllendarstellungen; zu den zusammengepferchten Verdammten mit ihren zuckenden Gliedern und blassen Gesichtern fehlten mit ihren Fackeln und Gabeln nur noch die mißgestalteten Dämonen. Die Stammkundschaft der Diskothek unterschied sich deutlich von der der Bierstube. Hier schien sich der modebewußte Nachwuchs der Stadt zu treffen. Die studentischen Boutiqueprinzessinnen übten den arroganten Blick und die kühle Distanz, während die charmanten BAFöG-Barone mit Glanz und Stil um die Damen warben. Dem Rivalen fiel man ins Wort oder man trat einfach zwischen ihn und die Schöne, lächelnd und mit der Entschuldigung, das Lokal sei ja übervoll, man bitte um Verständnis. Der Redewechsel floß immer freundlich, locker, doch die Augen und die Gesten blieben kalt und verrieten Hintergedanken.

Karel leerte sein Bier in einem Zug und bestellte noch zwei. Ich hatte wirklich keine Lust mehr, aber ich ließ es dabei. Immer noch wirkte er weder müde noch angetrunken, nur auf eine seltsame Weise abwesend. Gegenstand seiner Faszination war ein zerrissener Bierdeckel. Wiederholt klickte er sein Feuerzeug auf, stellte die Flamme ein und versuchte, den Deckel anzuzünden. Aber der fing kein Feuer, denn er war durch und durch naß. Plötzlich schleuderte Doležel den Deckel zu Boden und drehte sich zu mir.

»Arschlöcher!« knurrte er.

»Wer? Was?«

»Die sind alle Arschlöcher!«

»Meinst du die Leute in der Bierstube?«

Er nickte.

Wie er das meine?

Es sei »jedesmal dasselbe«, sagte er, und er habe jetzt die Schnauze voll. Zuerst seien sie neugierig, wie immer, aber *blind*, so verdammt blind. Sie seien nicht seine Leute, nur die ... Er zögerte.

»... die letzten Penner, meinst du?« ergänzte ich.

Er blickte mich an, und seine Mundwinkel zogen sich langsam hoch in ein breites Grinsen.

»Ich weiß«, fuhr ich fort, »da hast du schon recht. Da ist keiner drin, der nicht irgendwie ein paar lockere Schrauben hat. Aber ich würde die nicht alle abschreiben. Ich denke an den Karl-Heinz zum Beispiel. Er redet zwar manchmal Unsinn, aber einen besseren Kameraden findest du garantiert nicht ...«

Er meine das weniger persönlich bezogen als allgemein, schränkte er ein. Er habe es langsam satt, wie ein Raubtier hinter Gittern angeglotzt zu werden. Die ewige Ausfragerei über die banalsten Sachen kotze ihn allmählich an. Er sei in den Augen anderer eine reine Kuriosität, weiter nichts ...

Er müsse aber bedenken, warf ich ein, daß man nicht jeden Tag auf einen Flugzeugentführer stoße und daß dies wohl eine ziemliche Schockwirkung haben müsse unter Leuten, deren bisher schlimmste Begegnung mit der Staatsmacht wegen Falschparkens stattgefunden habe. Außerdem hätte ich einen gewissen Sinn für Dramatik in seiner Erzählweise verspürt.

Lächelnd schüttelte Doležel den Kopf und murmelte etwas auf Tschechisch. Er beugte sich vor und küßte mich auf die Wange.

»Zugegeben!« lachte er. »Du bist in Ordnung, mit dir kann man mindestens reden.«

»Das weißt du noch nicht. Gehöre ich nicht ebenso zu den anderen?«

Mit einer Handbewegung schnitt er meinen Einwand ab. Er begann zu reden. Langsam und gelassen fing er an, aber es drängte allmählich eine zunehmende Heftigkeit in seine Stimme und seine Gebärden. Daß er hier nicht zufrieden sei, hätte ich wohl selber gemerkt. Man habe ihn regelrecht betrogen, verraten. Die vier Jahre Knast seien nicht das Schlimmste gewesen. 1972 sei er bereit gewesen, jedes Risiko einzugehen; es hieß, es würde sich schon lohnen. Was habe er davon? Nach vier Jahren sei er immer noch eine Unperson ohne klar definierte Rechte und Bewegungsfreiheit. Und die hier seien keine Menschen! In der ČSSR gebe es ein Gemeinschaftsgefühl am Arbeitsplatz und in der Nachbarschaft, hier gehe jeder stur den eigenen Weg, sehe wohl kaum weiter als zwei Meter vor der eigenen Nase. Kleider wie aus der Modeschau, jeder Zweite ein Auto, jeden Tag Fleisch auf dem Tisch – auch für einen einfachen Arbeiter – aber keine Seele, Mann! Könne man dies denn wirklich Freiheit nennen? Er habe sich darunter etwas anderes vorgestellt. Wohlstand hätten sie schon, Freiheit von fremder Herrschaft, aber die seien gefühllos. Das sei kein freies Volk – nicht im Herzen. Ob ich ihn verstehen könne? Daß er von den Behörden wie eine Stahllieferung behandelt werde, da sei kein Unterschied zwischen Ost und West, das sei sogar erträglich, aber diese Eismenschen . . .

»Und *das*«, sagte er mit dem Daumen auf die Tanzfläche zeigend, »ist nicht Kultur!«

»Nee, das bestimmt nicht . . .« antwortete ich schwach.

Er war wütend geworden. Seine Stimme hatte einen bedrohlichen Unterton angenommen, der in mir eine dumpfe, kalte Angst auslöste, so daß ich ihn nicht mehr ansehen konnte. Etwas an ihm strahlte eine ungeheuer rohe Kraft aus, etwas Schattiges, Gewaltiges, Gewalttätiges. Auf einmal begriff ich, daß ich neben einem saß, der imstande war zu morden, ja, gemordet hätte. Er tobte immer noch in einer Zelle, schlug immer noch gegen ein Gitter.

Doležel schien meine Verlegenheit zu ahnen und wurde ruhiger. Er bot mir eine Zigarette an. Daß ich Nichtraucher war, wollte er nicht hören. Er sah amüsiert zu, wie ich sie ungeschickt anzündete und den ersten Zug machte.

Wir unterhielten uns noch über Kontaktschwierigkeiten und menschenfeindliche Betonklötze, über das Olympische Dorf und verschiedene Kneipen. Doležel wirkte jetzt wesentlich entspannter, er vernahm interessiert meine Meinungen, ergänzte sie hier und da mit seinen eigenen Erfahrungen.

»Karel«, fragte ich nach einer Pause, »wie ist das jetzt, betrachtest du dich als Tscheche oder Deutscher oder was? . . . Ich meine . . . klar, du bist ja aus der ČSSR, aber . . .«

Es war nicht zu retten. So wollte ich die Frage nicht stellen, mir selber kam sie jetzt naiv und beleidigend vor, aber es war schon gesagt.

Doležel starrte mich zunächst verwirrt an, dann lösten sich seine Züge in ein verständnisvolles, väterliches Halblächeln, das zu sagen schien, »einiges muß du noch lernen«. Trotzdem hatte er meine Absicht erkannt: Ich habe wohl gemeint, ob er trotz allem hier leben könne?

Das sei nun zunächst einmal so, fing er an … Er sprach von diesem und jenem, von Briefen, die er von Exiltschechen in England und in den USA bekommen habe, von den Möglichkeiten, die ihm offenstünden, »wenn hier alles geregelt ist«. Es sei vielleicht nur eine Frage der Zeit, man wisse ja nicht … Möglicherweise ergebe sich sogar etwas hier in der Stadt oder anderswo in der Bundesrepublik, man müsse ja nur bereit sein zuzugreifen …

Er sprach lange, aber etwas monoton, ohne mich anzusehen. Was sich wie ein Optimismus anhörte, konnte genauso gut bloßes Desinteresse sein. Er wich aus. Was ging ihn eine erträumte Zukunft in den USA an, wenn er erst mit einer Gegenwart in der BRD fertigwerden mußte? Ich wußte genauso wenig wie er, wie es weitergehen würde. Ich hatte keinen blassen Dunst.

Doch bevor man die Sperrstunde ankündigte, tauschten wir Adressen aus. Ich habe es auch ernst gemeint, nicht wie man es oft tut, um Anteilnahme zu heucheln. Ehe ich die Stadt verließ, sahen wir uns noch ein paar Mal, meistens in derselben Kneipe, aber nicht immer. Ich hatte vor, ihn nach meiner Rückkehr zu besuchen.

Ich war insgesamt zwei Jahre im Ausland gewesen. Als ersten besuchte ich Karl-Heinz, weil dieser einen Spürsinn für alles hatte, was in der Stadt los war. Als ich bei ihm den vergilbten Artikel las, stellte ich zu meinem Erschrecken fest, daß ich zu jener Zeit noch in Deutschland gewesen war.

Süddeutsche Zeitung, Donnerstag, 11. August 1977:

»DACHAU – In seinem Apartment in Dachau hat sich der 33jährige tschechische Metallarbeiter und ehemalige Bergmann Karel Doležel das Leben genommen. Doležel, der vor fünf Jahren Schlagzeilen mit einer Flugzeugentführung machte, hat nach ersten Ermittlungen der Kriminalpolizei eine große Dosis Schlaftabletten mit Alkohol zu sich genommen und sich mit einer Pistole in den Kopf geschossen. Der 33jährige hinterließ

einen Abschiedsbrief in tschechischer Sprache, der erst übersetzt werden muß. Als Motiv des Selbstmordes wird aber angenommen, daß Doležel nicht mit den Verhältnissen in der Bundesrepublik zurechtgekommen ist . . .«

Später habe ich mir eingebildet, daß es schon damals voraus-
zusehen war, daß seine Geschichte auf diese Weise enden mußte. Das bleibt aber Einbildung, denn richtig gekannt hat Doležel
keiner von uns.

Yiu Wubin

Und ruhig fließt der Rhein

> Ich weiß nicht, was soll es bedeuten,
> Daß ich so traurig bin ...

Die Gäste auf dem Schiff sangen im Chor während der Vorbei-
fahrt am Lorelei-Felsen.

> Die Luft ist kühl, und es dunkelt,
> Und ruhig fließt der Rhein.
> Der Gipfel des Berges funkelt
> Im Abendsonnenschein.

Da ließ ein Gelber unauffällig eine kleine Dose in den Strom
gleiten.

Ist das Zufall oder Absicht? Was kann darin sein? Gift? Oder
will er irgendwelche Beweise vernichten? Ich bat ihn in die
Kajüte und stellte ihm meine neugierigen Fragen.

Das Ergebnis des »Verhörs« war herzerschütternd.

»In der Dose sind Haare von meinem Lehrer, einem alten chinesischen Deutschprofessor.«

»Warum versenken Sie so etwas in den Strom?«

»Es ist das Vermächtnis meines Lehrers. Ich fühle mich ver-
pflichtet, seinen letzten Wunsch zu erfüllen.«

»Wie kommt es zu einem so komischen Vermächtnis?«

»Das ist gar nicht komisch, sondern sehr ernst. In der Periode
der ›Großen Proletarischen Kulturrevolution‹ ist er für einen
›Klassenfeind‹ gehalten und eingesperrt worden. Er wußte ganz
genau, daß er nach seinem Tode verbrannt und seine Asche auf
den Müllhaufen geworfen wird. Deswegen hat er im Arrest mir
seine Haare übergeben und mich beauftragt, falls ich später
einmal Gelegenheit hätte, nach Deutschland zu kommen, diesen Teil von seinem Körper in den deutschen Rhein zu senken,
damit das Wasser des Rheins den ›Schmutz‹, mit dem man ihn
befleckt hatte, abwäscht, damit er endlich ›Ruhe‹ findet.«

»Nun würde ich erstens gerne wissen, welches Verbrechen er begangen hat? Zweitens, warum wählte er nicht einen Strom seiner Heimat? Drittens, wie konnten Sie seine Haare bekommen, wenn er eingesperrt war?«

»Er hat gar kein Verbrechen begangen! Man hat ihn eingesperrt, um ihn einer sogenannten ›politischen Untersuchung‹ zu unterziehen. Die Rotgardisten meinten, er habe Kontakt mit Ausländern gehabt, demzufolge könnte er Staatsgeheimnisse verraten haben. Er war vor der Befreiung, daß heißt vor 1949, während der Herrschaft Tschang Kai-scheks, bereits als Deutschlehrer an der Universität tätig. So mußte er Beziehungen zu den Kuomintangleuten gehabt haben, höchstwahrscheinlich war er auch ein Mitglied der Kuomintangpartei, möglicherweise sogar ein Spitzel. Aus diesen Vermutungen zogen die Rotgardisten die Schlußfolgerungen: ›Landesverräter‹, ›Konterrevolutionär‹ und ›Spitzel‹.«

»Hatten die Rotgardisten Beweismaterial?«

»Für diese Behauptungen nicht. Aber eine ›politische Untersuchung‹ konnte man trotzdem durchführen. Sie haben andere ›Beweise‹ vorgelegt, um ihn kritisieren, aburteilen, bekämpfen und einsperren zu können.«

»Was für Beweismaterial?«

»Er hat Unterricht über die deutsche Sprache und Literatur gegeben. Auf diesem Gebiet hat er viele ›Verbrechen‹ begangen. ›Beweismaterial‹ hatte man genug. Zum Beispiel hat er über ›Faust‹ gesprochen. Im ›Faust‹ gibt es die Figur des Mephisto, des Teufels. So hat er ›Aberglauben‹ verbreitet, im Widerspruch zum Materialismus. Er hat Goethes Gedicht ›Prometheus‹ als Lehrmaterial ausgewählt. So hat er mit dem Ausländischen, mit dem Alten, eine Anspielung gemacht, um die Hiesigen, Heutigen anzugreifen. Unter dem Tyrann sollte man ›den großen Führer‹ verstehen. Das sei ein unverzeihlicher Angriff. Er hat die ›Ringparabel‹ aus ›Nathan der Weise‹ von Lessing als Lesestück gebraucht. Da hat er den ›Kompromiß‹ propagiert, das richtet sich gegen die gebotene ›Entschlossenheit‹ und ›Parteilichkeit‹ im Klassenkampf. Er hat das Drama ›Teufelskreis‹ der DDR-Schriftstellerin Hedda Zinner über den Reichstagsbrand 1933 als Lehrmaterial benutzt, und zwar einen Auszug hieraus: die Verteidigungsrede von Dimitroff. Da es in diesem Drama an anderer Stelle die Figur des Abgeordneten Lüring gibt, wurde er als Verbreiter der ›Verräter-Philosophie‹ gebrandmarkt, obwohl die Verteidigungsrede von Dimitroff nach der Ansicht der

Kommunisten völlig ›einwandfrei‹ ist. Er hat auch Materialien über den Frieden als Lehrmaterial gebraucht. Man machte ihm Vorwürfe, daß er zwischen dem gerechten Krieg und dem ungerechten Krieg keinen Unterschied mache. Das heißt, er habe ›Pazifismus‹ propagiert. Und so weiter, und so fort.«

»Das sind doch keine Verbrechen!«

»Ich bin auch der Ansicht. Er hat sich anfangs verteidigt, er versuchte den Rotgardisten den Unterschied zwischen Literaturwissenschaft und Politik zu erklären. Aber alles umsonst. Er erhielt dafür nur Schläge, anstatt verstanden zu werden.«

»Nun beantworten Sie bitte die zweite Frage: Warum wählte er den deutschen Rhein?«

»Er sagte mir: ich habe mein ganzes Leben dem Deutschunterricht gewidmet. Deutschland ist in meinem Herzen die zweite Heimat. Wenn ich in der ersten Heimat beschmutzt sterben sollte und keine Ruhe finden dürfte, so möchte ich den ›Schmutz‹ in der zweiten Heimat abwaschen und die ewige Ruhe dort finden.

Wie ich seine Haare kriegte?

Damals kämpften die Rotgardisten verschiedener Richtungen um die Macht und führten einen Bürgerkrieg. Sie waren damit voll beschäftigt. Wir, die wir nichts damit zu tun haben wollten, wurden ›Müßiggänger‹ genannt. Die ›Müßiggänger‹ mußten zur Strafe einige ›Arbeiten‹ übernehmen, damit die voll beschäftigten Rotgardisten einen Ruhetag genießen konnten. Daher wurde mir befohlen, jeden Sonntag zum ›Dienst‹ zu erscheinen. Meine Aufgabe bestand darin, für meinen alten Professor das Essen aus der Mensa zu holen. Er befand sich in einem kleinen Raum mit Holzgittern, welcher wie der Johanneskasten im Bocksturm zu Osnabrück aussah. Ich mußte durch ein kleines Loch das Essen hineinschieben. In der Mensa durfte ich nur das billigste Essen für ihn kaufen, etwas Reis und Gemüse. Ein ›isoliert politisch Untersuchter‹ darf kein besseres Essen erhalten, weder Fisch noch Fleisch. Aber ich habe ihm doch manchmal Fleischklöße gegeben, die ich für mich selber gekauft hatte, natürlich unter dem Reis versteckt. Es war sehr gefährlich. Ich mußte ganz genau aufpassen. Nur wenn die diensthabenden Rotgardisten draußen Schach spielten oder fernsahen, konnte ich so etwas riskieren. Eines Tages wurde mir befohlen, seine Haare kurz zu schneiden. Denn am nächsten Montag sollte eine Versammlung stattfinden. Der alte Professor mußte auf dieser erscheinen und als gebückter ›Sünder‹ mit der ›Sündentafel‹ am

Hals zur Verurteilung auf die Bühne treten. Dafür war es notwendig, ihn ›schön‹ zu machen. Ein Rotgardist gab mir Schere und Kamm, ließ mich in den Kasten hinein und schloß die Tür wieder. Während ich seine Haare kurz schnitt, summte er ganz leise ein altes Lied:

> Drüben hinterm Dorfe steht ein Leiermann,
> Und mit starren Fingern dreht er, was er kann.
> Barfuß auf dem Eise wankt er hin und her.
> Und sein kleiner Teller bleibt ihm immer leer.
> Keiner mag ihn hören, keiner sieht ihn an.
> Und die Hunde knurren um den alten Mann.
> Und er läßt es gehen, alles wie es will.
> Dreht, und seine Leier steht ihm nimmer still.
> Wunderlicher Alter, soll ich mit dir gehen?
> Wirst zu meinen Liedern deine Leier drehen?

Tränen rannen mir unwillkürlich über die Wangen. Er hat es bemerkt. Die zwei diensthabenden Rotgardisten saßen draußen vor dem Fernsehapparat. An jenem Sonntag wurde nicht wie üblich einer der acht ›Musterfilme‹ wiederholt, sondern es wurde ein neuer Film gezeigt. Sie konzentrierten sich auf den Film. Das war eine gute Chance. Ich sagte zu ihm ganz leise an seinem Ohr: ›Sag schnell, was ich für dich tun kann!‹ Er flüsterte: ›Du sollst einen Teil von meinen Haaren aufbewahren. Wenn es dir eines Tages gelingt, Deutschland zu besuchen, dann nimm diesen Teil von meinem Körper mit und senke ihn in den deutschen Rhein. Ich weiß, daß meine Leiche verbrannt wird, und niemand darf etwas von meiner Asche aufbewahren. Diesen kleinen Teil von meinem Körper soll das Rheinwasser ununterbrochen bespülen, dann wird aller ›Schmutz‹ abgewaschen, mit dem man mich jetzt befleckt, dann bin ich wieder rein und finde die ewige Ruhe in meiner zweiten Heimat. Wenn du keine Gelegenheit dazu hast, sollst du es einem zuverlässigen ausländischen Freund anvertrauen, der meinen letzten Wunsch zur Erfüllung bringen kann.«

»Warum hat er Sie nicht beauftragt, die Haare seinen Familienangehörigen zu geben?«

»Er hatte keine Familienangehörigen mehr. Nachdem er eingesperrt worden war, haben die Rotgardisten seine Frau aus der Wohnung getrieben. Die Wohnung wurde zum Befehlsstand der Rotgardisten. Seine Frau mußte auf dem Dachboden eines anderen, dreistöckigen Gebäudes hausen. In diesem Haus wohnten sieben Familien, es gab jedoch nur einen einzigen Wasserhahn im Erdgeschoß. Die arme Alte mußte jeden Tag mit einem kleinen Eimer das Wasser auf den Dachboden schleppen und dann, zum Ausgießen, wieder hinunter schleppen, mit so einer schweren Last die steilen Treppen täglich hinauf und herab klettern. Als Angehörige eines ›Klassenfeindes‹ mußte sie den anderen stets weichen. Wenn sie Wasser brauchte, mußte sie dieses als letzte der Hausbewohner holen. Man gestattete ihr nicht, ihren Mann zu besuchen. Die Sorge um ihren Mann und die unerträglichen Mißhandlungen in ihrem täglichen Leben haben sie kaputt gemacht. Sie ist vor ihm gestorben.

Kinder? Sie hatten nur einen einzigen Sohn. Der arbeitete vor der Befreiung, also vor 1949, auf einem Überseedampfer. Als das Festland befreit wurde, war er auf dem Meer. Ob er noch am Leben ist, wo er sich befindet, war den Eltern nicht bekannt.

Verwandte? Natürlich haben sie Verwandte! Aber wissen Sie, was die Rotgardisten von den Verwandten verlangten? Die Verwandten mußten eine ›proletarische Stellungnahme‹ abgeben, sie durften mit dem ›Klassenfeind‹ keinerlei Mitleid zeigen. Der alte Professor war schon über ein Jahr eingekerkert. Er konnte keinen Kontakt mit der Außenwelt aufnehmen. Zeitung durfte er nicht lesen, Radio durfte er nicht hören. Er war völlig isoliert. Im Laufe eines Jahres kann viel geschehen. Wie konnte er wissen, in welchen Verhältnissen seine Verwandten jetzt lebten, und ob sie noch ›zuverlässig‹ waren? Sollte er riskieren, sich an sie zu wenden? Dann lieber mich beauftragen. Auf jeden Fall bin ich in seinen Augen ein Zuverlässiger.«

Wir verließen die Kajüte und gingen an Deck.
Ein Gast sang gerade das Volkslied ›Lindenbaum‹:

> . . .
> Die Winde im Wipfel rauschen,
> Als riefen sie mir zu:
> Komm zu mir Geselle,
> Hier findest du deine Ruh!
> Hier findest du deine Ruh!

Ja, armer Alter, hier findest du deine Ruh!
Als Fremder – in Deutschland!

S. D. Chakravarthy
Danke schön!

»Ausländer stopp, Deutschland den Deutschen!« Wie schön!
Wie schön wäre es, wenn dieses Schild in allen Ländern stünde!
Wie schön, wenn alle Menschen nur eigene Menschen liebten!
Dann hätte man keine Probleme in der Welt. Dann würde man
keine Diplomatie und keine Diplomaten brauchen. Dann
brauchte man keine Fremdsprachen zu lernen. Dann brauchte
man nicht in die anderen Länder zu gehen und die Sprache zu
lehren. Dann brauchte man keinen Kulturaustausch, überhaupt
keinen Austausch. Dann hätte man weniger zu studieren. Dann
käme die Entwicklungshilfe nicht in Frage. Man würde eigene
Probleme selbst lösen: Armut und Reichtum. Man würde lernen, ohne Hilfe zu leben. Man würde lernen, Sachen im eigenen
Lande herzustellen trotz hoher Lohnkosten. Dann hätte man
den anderen überhaupt nichts vorzuwerfen. Dann hätten die
»Westler« keine Angst vor den Russen, und die »Ostler« vor
den Amerikanern. Dann brauchte man keine Angst vor dem
Krieg zu haben, denn es würde keinen Krieg geben.

Man brauchte nur eine eiserne Mauer um das eigene Land zu
bauen.

DIE DEUTSCHEN UND DIE FREMDEN
Zu einem durch fremde Augen »gebrochenen« Deutschlandbild
Nachwort

I

Wir bemühen uns. Wir wollen verstehen – und verstanden werden. Wir geben uns, »wie wir sind«. Wir versuchen, die Fremden in unserem Lande zu nehmen als »Menschen wie du und ich«. Wir versuchen »nett zu sein«. Wir sind eifrig und genau beim Weisen von Wegen, beim Zeigen von Sehenswürdigkeiten, beim Erläutern von Besonderheiten unserer Lebensweise. Wir sind stolz darauf, etwas »vorweisen« zu können. Wir wollen es den Fremden bei uns »gemütlich« machen. Sie sollen sich »heimisch« bei uns fühlen. Freilich sind wir erstaunt (und das zeigen wir auch), wenn die anderen unsere Gemütlichkeit nicht ebenso gemütlich finden wie wir selbst, wir sind enttäuscht, wenn sie sich nicht heimisch fühlen in unserer »schönen Heimat«. Aber wir lassen uns nicht entmutigen. Wir fragen. Wir bemühen uns, neugierig zu sein auf die Heimat der Fremden, auf ihr einheimisches Essen zum Beispiel, auf ihre Lebens- und – das besonders – Liebesgewohnheiten. Daß in der Fremden-Heimat immer die Sonne scheint, setzen wir gewöhnlich voraus, darauf sind wir ein wenig neidisch – aber nicht zu sehr! Wissen wir doch, daß wir uns, wenn wir wollen, die Sonne dort kaufen können, das Meer, die Strände dazu, Sand oder Fels, je nachdem, wo das Fremdland liegt, welchen »Boden« es hat – die Entfernung dorthin spielt für uns keine besondere Rolle, und die Himmelsrichtung ist gewöhnlich Süden. Wir fragen, und noch während wir die Antwort hören, vergleichen wir. Darin sind wir schnell, geschickt und entschieden. Das Vergleichen ist eine unserer Stärken. Dabei werden dann Unterschiede deutlich. Die fallen meistens dadurch auf, daß unser Teil der bessere ist. Nun, dafür können wir nichts. Wir sind eben »besser weggekommen«. Und wir haben uns unser Wohlsein auch etwas kosten lassen. Wir waren fleißig und »hart gegen uns selbst«. Tüchtigkeit findet noch immer ihren Lohn. Wir sind dafür ein gutes Beispiel – in unseren Augen. Falls das allzu deutlich wird, überspielen wir die entstehende Peinlichkeit: Wir weisen, den Fremden zum Trost, auf die »Allgemeinmenschlichkeit« hin, die uns nicht fremd ist. Das ganz und gar nicht.

Wir sind mit dem Allgemeinmenschlichen so vertraut, daß wir gelegentlich mit dem Verdacht kämpfen müssen, es sei bei uns gewachsen. Aber dieser Kampf dauert gewöhnlich nicht lange ...Wir haben auch unsere Erwartungen an die Fremden. Wir erwarten von ihnen, daß sie, jenseits erster möglicher Mißverständnisse und Enttäuschungen, unser Land »schätzen lernen«, daß sie, »im Prinzip« wenigstens, »glücklich sind«, hier zu sein.

Oft sind sie es nicht! Die meisten Texte des vorliegenden Bandes belegen kein »Glück«, auch keine »Zufriedenheit«, sondern Fremdsein, oft sogar das Leiden an der erfahrenen Fremde. Und das scheint nicht nur damit zu tun zu haben, daß es in jeder Fremde schlecht ist, daß Fremde immer und überall »Elend« bedeutet. Es liegt, so erweisen es diese Texte, auch an der ganz besonderen deutschen Fremde, die eine besonders schwierige, heikle Art der Fremde zu sein scheint. Die Lage vieler Ausländer in Deutschland scheint ein speziell »deutsches Elend« zu sein.

In dem Gedicht ›Das Haus‹ von Jean Apatride wird ein Grund dafür genannt, warum die Fremden in Deutschland es schwierig finden, sich hier einzuleben. Apatride spricht in der wir-Form, gleichsam stellvertretend für all die, denen Deutschland nicht zum »Gast«-Land wird. Er spricht von einem Mißverständnis: Die Ankömmlinge in diesem Gedicht »dachten«, sie seien Gäste. In irgendeinem Sinne sind sie es auch – aber nicht wirklich, nicht so, wie sie es sich erhofften, nicht »wörtlich«. Denn etwas fehlt: die »Gastgeber«. Das heißt – und der Vorwurf wiegt schwer –, den Menschen in diesem Land, also uns Deutschen, fehlen bestimmte Eigenschaften, Fähigkeiten, die es uns ermöglichen, unser Land »gastlich« zu machen. Der Text gebraucht für das, was uns – in seinem Sinne – fehlt, das Wort »sorgen«, meint also die Fähigkeit, für jemanden »Fürsorge« übernehmen zu können, das heißt: dem Fremden, dem Gast, zugetan zu sein auch im Gefühl. An formeller Anerkennung als »Gast« fehlt es den Fremden offenbar nicht, auch nicht an »Rechten«, »Möglichkeiten«, »Freiheiten« usf.; aber offenbar haben sie sich anderes an Gastlichkeit erwartet, eben dieses »Sorgen« – eine tiefere, eine intimere, eine verbindlichere Art menschlicher Zuwendung.

Wie ist es zu diesem Mißverständnis gekommen? Wer ist schuld daran, daß die Menschen, von denen und für die der Text Jean Apatrides spricht, mit Erwartungen nach Deutschland kommen, die dazu bestimmt sind, enttäuscht zu werden?

Haben die Fremden, ehe sie kamen, ein falsches »Bild« von uns gewonnen? Haben sie sich – aus irgendwelchen Gründen – die Deutschen so gemalt, wie sie nicht sind? Oder haben wir selbst die falschen Erwartungen ausgelöst? Haben wir – wodurch auch immer – einen »Ruf« von uns verbreitet, der nicht stimmt?

Die Texte dieses Bandes verkünden keine Wahrheit. Sie sprechen Erfahrungen aus, die Menschen, Ausländer, mit uns gemacht haben. Die Entfernung, aus der die Fremden kommen, die – mitgebrachte – Distanz, in der sie uns sehen, hat eine eigentümliche Wirkung: sie verzerrt den Blick und schärft ihn zugleich. Manchmal kommt es mir so vor, als schärfe sie den Blick zumal für unsere Schwächen. Jedenfalls lohnt es sich für uns, die Formulierung dieser »Erfahrungen mit uns als Mitmenschen« ernst zu nehmen. Wir können etwas davon haben – nein, wir können etwas daraus machen. Das gilt vor allem für die Erfahrungen, deren Äußerung so etwas wie Kritik bedeutet. Um einem Mißverständnis vorzubeugen: Keinem der Autoren, deren Texte hier zusammengestellt sind, käme es wohl in den Sinn zu sagen, es gebe nirgendwo in Deutschland wahre Gastlichkeit. Sicherlich gibt es sie. Ich weiß nicht, wie oft und wo vor allem sie sich ereignet. Texte wie der von Kathryn Smits, ›Freiburger Episoden oder Bericht über eine kleine Liebe‹, scheinen anzudeuten, daß Gastlichkeit sich oft in Anspruchslosigkeit, Provinzialismus, »Einfachheit« verkleidet, daß sie oft im Dialekt spricht. Immer ist sie eine persönliche Leistung. Wo sie erbracht wird, hat sie ihren Lohn, ihren Dank, in sich.

Im Hinblick aber auf die zahllosen Fälle, wo Erwartung an Deutschland als Gastland und erfahrene Wirklichkeit sich schmerzlich unterscheiden, lohnt es sich, den Ursachen für unsere »Schwächen« nachzugehen.

2

Sicherlich haben wir Deutschen einige Erfahrung darin, selbst »in der Fremde« zu sein. Viele von uns genießen es sogar, im Ausland »fremd« zu sein; und wenn wir dort draußen »befremdlich« wirken, rechnen wir damit, daß man dafür Verständnis hat. Wir machen uns nicht weiter viel Gedanken über unser Auffallen und Herausfallen, denn uns ist der Rücken gestärkt durch das Bewußtsein, daß wir ein gutes Recht haben auf unsere Besonderheit – und daß diese Besonderheit im Ausland respektiert, anerkannt, wenn nicht gar bewundert wird, dessen sind wir uns gewöhnlich sicher. Wieso eigentlich? Woher diese Selbstsicherheit? Nun, wir rechnen damit, daß man uns im jeweiligen Ausland, mag es auch noch so weit entfernt sein von hier, »kennt« – nicht als Individuen, aber eben als Deutsche. Und wir gehen davon aus, daß man uns mit Zustimmung kennengelernt hat, daß unser »Ruf« (wie er sich aus Büchern, Zeitungen, Filmen ergibt) gut ist. Wir verlassen uns darauf, daß unsere nationalen Leistungen, vor allem unsere kulturellen und wirtschaftlichen Errungenschaften »für uns sprechen«. Aber nicht nur die Medien haben dafür gesorgt, daß man uns kennt. Wir Deutschen sind viel und weit in der Welt herumgereist. Wir haben, wo immer wir hinkommen, Vorgänger. Diese haben das »Bild« geprägt, das man in dem jeweiligen Ausland von uns hat. Dabei sind sie in ganz verschiedenen Fremdenrollen aufgetreten. Und weil Begegnungen von Angesicht zu Angesicht besonders einprägsam sind, haben unsere Vorgänger sicher ebenso stark gewirkt wie alle Informationen über Medien. Was den Grad der Bekanntheit unserer Eigenarten angeht, wie unser »Ruf« und unser »Bild« sie enthalten, sind wir wohl eine der am besten propagierten Nationen der Welt. Und sonderbarerweise hat selbst das Hitler-Regime das Interesse, das uns im Ausland entgegengebracht wird, nicht entscheidend schmälern können, wenn man von den Ländern absieht, die unter den Greueltaten der Nazis unmittelbar gelitten haben. Es gibt sogar Länder, in denen Einheimische bereit sind, uns gegenüber als Verteidiger Hitlers aufzutreten. Diese Geltung sichert unser Auftreten draußen. Wir sind »sichere Fremde«, das heißt auch: »geübte Fremde«, womöglich sogar blasierte und arrogante Fremde.

Und trotzdem (oder deshalb?) sind wir ahnungslos, hilflos und womöglich sogar fühllos, wenn es gilt, Fremde in unserem eigenen Land zu empfangen, aufzunehmen, ihnen gerecht zu werden! Hier zeigt es sich, daß unsere Erfahrung darin, Gastgeber für Fremde zu sein, bestürzend gering ist. Und es zeigt sich auch, daß wenige Nationen bei uns einen »guten Ruf«, ein »gutes Bild« haben – oder überhaupt einen Ruf und ein Bild. Es scheint manchmal fast so, als seien wir farbenblind gegenüber den Eigenarten anderer Nationen und Kulturen, als seien wir »fremdenblind«. Mit dieser Schwäche haben sicherlich viele der Enttäuschungen zu tun, die Ausländer hier erleben. Sie sind bestürzt darüber und zunehmend irritiert, daß wir für ihre Besonderheiten nicht ebensoviel Verständnis haben wie sie für unsere. Und was wahrscheinlich besonders ärgerlich ist: Sie müssen oft erfahren, daß wir gar nicht das Bedürfnis haben, ihre Eigenarten genauer kennenzulernen. Wichtiger ist uns, so erscheint es jedenfalls vielen Fremden in unserem Lande, daß wir wissen, wie wir selbst sind. Und darauf, auf Selbstvergewisserung, scheint viel von unserem neugierigen Fragen, viel von unserem Vergleichen abzuzielen. Meistens (allzu oft!) halten wir uns beim Vergleich von Nation zu Nation, von Kultur zu Kultur, für die »interessanteren«, die »wichtigeren« – haben wir uns doch, so meinen wir, als besonders »fruchtbar«, »erfinderisch«, »erfolgreich« erwiesen.

In dieser Selbsteinschätzung werden wir im Ausland nur allzu oft bestätigt. Unsere Fremden-Rollen haben ja immer etwas mit Überlegenheit, Kraft, Wissen, Reichtum, Macht zu tun. Und oft sind es die Ausländer selbst, die uns diese Qualitäten zuschreiben. »Leistung« und »Erfolg« als nationale Eigenschaften folgen uns gleichsam auf Schritt und Tritt.

Diese Erfahrungen mit uns selbst im Ausland prägen auch unser Verhalten gegenüber den Fremden, die in unser Land kommen. Zugleich sind die Erwartungen, mit denen die Fremden hierher kommen, von unserem Auftreten im Ausland bestimmt. Daher erscheint es lohnend, einen Blick auf diese Rollen zu werfen, in denen vor allem wir im Ausland erscheinen.

Am häufigsten werden wir Deutschen heute wohl als Touristen erlebt. Aber ich zweifle, ob in dieser Rolle das Bezeichnende für uns deutlich wird. Immerhin sind wir innerhalb dieser Rolle eines: als Käufer potent. Aber das sind die Angehörigen der übrigen westlichen Industrienationen auch. Vielleicht sind wir, wenn man genauer hinsieht, besonders kauffreudig. Denn wenn ich richtig beobachtet habe, kaufen wir nicht nur die Sonne, die Strände, die exotischen Aussichten und sonstigen Genüsse, die nur an Ort und Stelle zu konsumieren sind, sondern auch besonders viel Mitnehmbares, Souvenirs in jeder Form. Wir wollen nicht nur besessen haben, sondern auch besitzen, auf Dauer. Wir wollen nicht nur Erinnerung haben, sondern auch Erinnerungsstücke, konkret, materiell. Wir haben, scheint mir, die Fremde, deren Erfahrung von Wesen flüchtig ist, gern ding- und handfest. (Weil wir uns unsicher fühlen im Erleben ihrer Gegenwart?) Noch etwas fällt mir auf, wenn ich im Ausland meinen Landsleuten zusehe: Sie zahlen gern. Nicht, daß sie

gern viel bezahlen! Der Vorgang des Zahlens selbst geht ihnen –
nicht ohne Bonhomie und Großzügigkeit – mit Genuß und
Jovialität von der Hand. Zahlen heißt eben auch: Zeigen, was
man hat. Vielleicht steckt darin immer noch ein Rest Nachhol-
bedarf aus der Nachkriegszeit. Längst sind wir nicht mehr neidisch auf den Dollar, seine Kaufkraft in aller Welt. Aber anders
als die Amerikaner sind wir nur wirtschaftlich (und auch das
nur innerhalb der EG), nicht auch politisch eine »Macht«. Vielleicht drückt sich in der Bereitschaft, mit der ein Deutscher in
der Fremde seinen Geldbeutel zückt, auch das Bedürfnis aus,
politische Bedeutungslosigkeit, ja Abhängigkeit zu kompensie-
ren. Daß wir damit unseren tatsächlichen Reichtum dokumentie-
ren, ist uns recht; falls wir dadurch in den Geruch der Großzügigkeit, Freigiebigkeit kommen, geschieht das wohl eher gegen
unsere Absicht. (Im eigenen Lande werden wir der Erwartung,
wir seien in materiellen Dingen großzügig, wohl selten gerecht.)
   Charakteristischer zeigen wir Deutschen uns sicher in einer
anderen Rolle: als Experten. Ob als Wissenschaftler oder Tech-
niker, als Gutachter oder Entwicklungshelfer – hier machen wir
ein »gutes Bild«. Denn meistens erweisen wir uns als fachlich-
sachlich kompetent. Hier kommt Arbeit in den Blick. Die nehmen wir ernst, ja wir neigen dazu, unseren Auslandsaufenthalt
vor allem nach den Bedingungen und Ergebnissen unserer Arbeit zu bewerten. Durch den Erfolg unserer Arbeit sehen wir
uns davon entlastet, unsere ausländischen Gastgeber auch noch
anders sehen zu müssen als unter den Aspekten eben der Arbeit. (Auf die Neigung, die Arbeit von allen anderen zwischen-
menschlichen Beziehungsformen abzutrennen, komme ich
noch zurück.) Hier treten die traditionellen deutschen Tugenden in den Blick, die Ruf und Bild unserer Nation im Ausland
immer noch bestimmen: Sorgfalt, Ausdauer, Fleiß. Diese Eigenschaften gelten zugleich als menschliche Qualitäten allgemein. Es könnte sein, daß viele der Enttäuschungen, die Fremde
als Arbeiter in unserem Land erleben, eben daraus entstehen:
daß sie diese Tugenden weder in ihrem besonderen noch in
ihrem allgemeinen Sinn vorfinden, wie erwartet.
   Neuerdings treten wir in der Fremde oft als Pilger auf. Die
Neigung der Deutschen, Erleuchtung in der Ferne zu suchen,
zumal in östlicher Ferne, ist schon lange bekannt. Aber die Zahl
der pilgernden Deutschen ist in letzter Zeit – im Gefolge des
wachsenden Tourismus? – rasch angestiegen. Ob wir an den
Ganges fahren oder nach Poona, um uns »berauschen« zu las-

sen, ob wir nach Ceylon oder nach Japan fahren, um in ein buddhistisches Kloster zu blicken: immer treibt uns die Sehnsucht nach der Erlösung im Fremden, nach der Selbstfindung im ganz Anderen. Hier wirkt das Gegenteil zu dem Bedürfnis, die Fremde zu materialisieren und sie sich anzueignen im Ding-Kauf; hier wirkt das Bedürfnis, sie tiefinnerlich zu erfahren, abstrakt, absolut. Was auf solchen Pilgerfahrten oft übersehen wird, ist »das dazwischen«: die konkreten Formen des Zusammenlebens der Menschen, die Zusammenhänge zwischen den Umständen des Lebens (Klima, Landschaft, Vegetation) und den darin entwickelten Formen menschlicher Sozialisation. Auch gegenüber der Fremde scheint mir diese typisch deutsche Art der Erfahrungsbildung vorzuherrschen: in Polaritäten zu erleben, Gesehenes in Gegensätze zu zerlegen, sich selbst in Widersprüchen zu verhalten. Das extrem Fremde, das »ganz Andere«, wird daher von uns immer als »Einheitserlebnis« ersehnt. Exotik wollen wir als Verlorengehen von Bewußtsein erleben. So liegen denn auch Exotisches und Erotisches für uns dicht beieinander.

Ich habe im Ausland, zumal im Mittleren und Fernen Osten, immer wieder beobachtet, daß uns dieser Hang zur Pilgerschaft oft als Bescheidenheit ausgelegt wird. Denn wir gelten ja als eine Kulturnation ersten Ranges, die nicht nur in den Künsten, sondern auch in der Philosophie fruchtbar geworden ist. Und dies ist wohl – neben Reichtum und technischem Expertentum – die stabilste Komponente des Bildes der Deutschen im Ausland: Von unserer Kulturträchtigkeit wird auf unsere Menschlichkeit geschlossen, auf unsere menschliche Reife, unsere »Weisheit« – also auch auf unsere Fähigkeit, Mitmenschen aufzunehmen als Gäste! Der in diesem Band abgedruckte Text von Yiu Wubin (›Und ruhig fließt der Rhein‹) handelt von einem solchen Deutschlandbild. Und es könnte sein, daß viele der Enttäuschungen über das reale Deutschland heute mit Erwartungen zu tun haben, die sich aus solch idealisierender Bewunderung deutscher Kulturtradition ergeben.

3

Wie es gute Gründe dafür gibt, daß Ausländer mit großen Erwartungen auf »Bereicherung« (nicht nur materielle eben!) nach Deutschland kommen, so gibt es gute Gründe dafür, daß gerade wir Deutschen Schwierigkeiten damit haben, den Fremden gerecht zu werden – zumal wenn sie als Arbeitssuchende kommen.

Darin immerhin hatten wir Glück: Wir waren nur kurz Kolonialmacht. Ein paar Jahrzehnte lang konnte jener schnurrbärtige Kaiser stolz sein auf »sein Deutsch-Südwest-Afrika«, auf »sein Deutsch-Ost-Afrika«, »sein Kamerun«, »sein Togo« – für die meisten Deutschen ohnehin nur bunte Flecken auf der Weltkarte. Dann nahmen andere Räuber uns das Geraubte weg. Insofern war 1918 für uns ein Glücksjahr. Die Zwangslagen, in welche die anderen Eroberer von Fremdland, die Engländer, Franzosen, Holländer, Belgier gerieten, blieben uns erspart. Eine bedeutsame Folge allerdings gewann der Besitz von Kolonien für unsere europäischen Nachbarn im Westen: In den letzten Jahren noch der Kolonialherrschaft und dann auch weiterhin kamen aus den Kolonien Fremde, die nicht nur Bildungsreisende waren, sondern die eine Ausbildung in akademischen Berufen im kolonialen Mutterland suchten und fanden. Als nach Beendigung der Kolonialherrschaft die Beziehungen der Kolonien zu den ehemaligen Herrschaftsländern – schon der sprachlichen Bindungen wegen – andauerten, ging diese Entwicklung weiter: Inder in England, Algerier in Frankreich – sie fanden dort in steigender Zahl nicht nur ihre Ausbildung, sondern auch den Arbeitsplatz und womöglich auch den Lebenspartner. Die Gewöhnung der Einheimischen an die Fremden auch als Mitarbeiter und Mitmenschen im weitesten Sinn geschah allmählich. Aber nicht nur die Dauer der Gewöhnungszeit spielt eine Rolle: Wichtig für den Prozeß der Gewöhnung an die Fremden scheint mir zu sein, daß nicht wenige von ihnen in den genannten europäischen Ländern schon bald in geachteten Funktionen, etwa als Ärzte oder Rechtsanwälte, erlebt wurden. Ihre Geltung, letztlich die von ihnen erworbene gesellschaftliche Macht, kam auch den anderen Fremden zugute.

Nach Deutschland kamen die Fremden als Arbeitende vergleichsweise plötzlich. Ihre Zahl nahm rasch, allzu rasch, zu. Ob ihre Arbeit ihr Studium war oder ob sie Handlangertätigkeiten ausübten, von Anfang an sahen die meisten Deutschen sich ihnen gegenüber als Gebende, als Wohltäter – und damit als Überlegene. Daß im Falle der Gastarbeiter mit der gleichen Berechtigung gesagt werden kann, daß es die deutsche Wirtschaft, also wir alle waren, die zusätzliche Arbeitskräfte brauchten und suchten, wurde überspielt. Seit die Arbeitsplätze (und

Studienplätze) in Deutschland rarer geworden sind, hat sich die Neigung noch verstärkt, die Fremden als unwillkommene Nutznießer, als »Trittbrettfahrer« und Kuckuckskinder zu betrachten.

Ähnliches gilt sicher auch für andere westeuropäische Industrieländer. Aber in keinem scheint mir das Problem der Gastarbeiter-Integration so zugespitzt zu sein wie in Deutschland.

4

Liest man die Texte in diesem Band aufmerksam, dann zeigt sich, daß den Fremden in unserem Land an uns als Gastgebern einige Merkmale immer wieder auffallen. Ich greife einige dieser Beobachtungen zu unserer Eigenart heraus.

Arbeit, Zweckhaftigkeit, Erfolg –

Daß die Fremden so plötzlich, in so großer Zahl und vor allem als Arbeitssuchende gekommen sind, hat sie einseitig als Arbeitskräfte in unsere Vorstellung einwachsen lassen. Alles andere an ihnen, alles »Menschliche«, hat sich gleichsam von ihnen abgespalten und ist in den Schatten gerückt. Ein Arbeiter arbeitet, ein Mensch lebt. Daß die Gastarbeiter hier auch leben wollen, leben müssen, daß ihr Leben, auch ihr Leben hier, ihnen unendlich wichtiger sein muß als ihre Arbeit hier, wird offenbar von vielen Deutschen verdrängt. Was von ihnen erwartet wird, das ist, daß sie »fleißig und strebsam« sind – eine Forderung, die von vielen Fremden auch akzeptiert und verinnerlicht wird (vgl. den Text von Domenico Bossio).

Diese Neigung, Arbeit vom Leben abzuspalten, hat bei uns Tradition: Der Arbeit, dem Pflichthaften, Öffentlichen steht als schroffer Gegensatz das Private, das Familienleben gegenüber. Diese Trennung, wie sie auch zustande gekommen sein mag (sicherlich schon im letzten Jahrhundert), bestimmt das Klima der deutschen Arbeitswelt. Sie erscheint daher oft unpersönlich und kalt, von Hast und Automatismus geprägt – während das Nur-Familiäre oft in Enge, Begrenztheit, Spießigkeit ausgelebt wird. Unsere Gäste leiden unter dieser Trennung. Sie fühlen sich weder in unserer Arbeitswelt noch in unseren engen Familienkreisen wohl. Sehr präzise wird diese Spaltung in dem Märchen von ›Sindbad‹ von Jusuf Naoum karikiert: Als Sindbad nach getaner Arbeit am Arbeitsplatz auch schlafen können will, wird ihm prompt gekündigt. (Ein Beispiel dafür, daß Arbeit und Privatleben durchaus nicht in allen Industrienationen so strikt getrennt wird, ist Japan.)

Die reine Funktionalität, die das Klima am Arbeitsplatz bestimmt, scheint bei uns auch auf andere Bereiche, sogar auf den Bereich zwischengeschlechtlicher Beziehungen, überzugreifen. In dem Gedicht ›Bekanntschaft‹ von Elisabeth Gonçalves wird beschrieben, wie eine Ausländerin auf ihre »Zweckhaftigkeit« als Mensch und Frau hin abgefragt wird. Da sie weder ein Auto noch den Führerschein hat, da sie die Pille nicht nimmt und mit dem Frager auch nicht schlafen will, erscheint ihre Anwesenheit in Deutschland gänzlich ungerechtfertigt.

In dem Gedicht ›Weil ...‹ der gleichen Autorin wird als »Nichtgläubiger« im Sinne deutscher Erfolgsideologie derjenige bezeichnet, der weder ein Auto hat noch einen Taschenrechner benutzt noch regelmäßig Geld auf die Bank bringt. Da ein Fremder bei uns nur schwer »Erfolg« haben kann, Erfolg im Erwerb von Status, Macht, Besitz, muß den ausländischen Gästen unsere Fixierung gerade auf diesen Maßstab der Wertzumessung Anlaß zu Bitterkeit werden. Ausdruck erhält diese Bitterkeit besonders scharf in den Texten von Franco Biondi.

»Ordnung« und »Vernünftigkeit« –

Außer der Arbeit, dem Ergebnis der Arbeit, will man – so erscheint es offenbar vielen Ausländern – von den Fremden in unserem Land möglichst nichts sehen, und erst recht nicht von ihren Angehörigen, die nicht arbeiten. So ist es für viele Deutsche geradezu ärgerlich, daß die hier arbeitenden (oder studierenden) Ausländer auch noch hier wohnen müssen! (Die Demütigungen auf der Wohnungssuche sind ein mehrfach wiederkehrendes Thema in dieser Textsammlung.) Wenn es aber schon unumgänglich ist, daß Ausländer, die hier arbeiten, auch hier wohnen müssen, dann sollen sie es möglichst unauffällig tun; dann sollen sie dabei so sein wie wir, das heißt: sie sollen vor allem »Ordnung halten«. Weil Ordnung hier aber allemal unsere Ordnung ist, drückt sich in diesem Anspruch die unverhüllte Forderung nach Anpassung aus. Zu Recht erkennen unsere Gäste in diesem Anspruch nicht nur einen Mangel an Toleranz, sondern geradezu einen Mangel an Kultur. Denn im Umgang mit Menschen, die aus einem anderen Kulturkreis kommen, müßte die Lebendigkeit und Kraft der eigenen Kultur sich gerade darin äußern, daß man Sinn hat für die Verschiedenheiten menschlichen Lebens und seiner Ausdrucksformen.

Die Wirkung, die von diesem Bestehen auf »Ordnung« ausgeht, können wir besonders in dem Text von Norbert Ndong, ›Im Land der Weißen‹, greifen. Es ist die einer kalten »Vernünftigkeit«, die nichts zu tun hat mit weiter und erfüllter menschlicher Vernunft. Was uns folglich in den Augen unserer Gäste, zumal derer aus Südeuropa und Asien, fehlt, sind: Spontaneität, Wärme, die Fähigkeit, Gefühlen zu folgen und Gefühle auszudrücken. So erscheinen wir als »Fischmenschen« oder gar als Nicht-Menschen, wie in dem »Märchen« von Nelly Ma: ›Ein Kind kommt ins Schlaraffenland‹. Und noch unsere Feste erwecken zuweilen den Eindruck des Reglementierten. (Man lese dazu den Bericht der Erfahrungen, die Norbert Ndong auf einem deutschen Weihnachtsfest machte.) Kommt dann jemand aus einem anderen Erdteil und ist an andere Wahrnehmungsformen und Ausdrucksmöglichkeiten gewöhnt, werfen wir ihm womöglich »prälogisches Denken« vor. Und dieser Vorwurf hat viel für sich; denn es ist unsere Naturwissenschaft und unsere Technologie, die heute diese Welt prägt. Unsere Optik, unsere Art, Beobachtungen an der Natur zu ordnen und auszuwerten, unsere Begrifflichkeit, bestimmen, was diesem Planeten geschieht. Wir haben – gegenüber allen anderen Konzepten und Modellen der Naturerkenntnis -- gewonnen. Der Sieg, der einer des Rationalismus ist, des Zweckdenkens und allzu oft der Sinnverleugnung und der Gefühls-Unterdrückung, kommt uns und den Rest der Menschheit teuer zu stehen. Es kommt mir manchmal so vor, als sähen heute schon eine zunehmende Zahl unserer eigenen Kinder unsere Welt mit den Augen von Fremden: als eine Welt, deren Hauptelemente, Stahl, Glas, Beton, Asphalt, Autoblech, Öl, längst bedrohlich, längst zu Elementen der Krise geworden sind – als eine Welt, in der nicht nur die Züge, sondern auch die Menschen auf Schienen fahren, in eine Zukunft, die niemand sich mehr auszumalen wagt.

Besonders peinlich muß es für uns Deutsche sein, wenn wir einräumen müssen, daß unsere Ordnung, lose aufliegend auf dem (Unter-)Bewußtsein der Krise, oft nichts anderes mehr ist als Vorwand für Routine, Achtlosigkeit, Rücksichtslosigkeit. Nur mit Betroffenheit kann ich als Mit-Deutscher Texte lesen wie das Gedicht ›Ausländerbehörde‹ von Pierre Blithikiotis oder die Szenenfolge ›Es wird überall nur mit Wasser gekocht‹

von Be Min. In dem hier charakterisierten Handeln mischt sich die schlimme Tradition deutscher Ordnungsstaatlichkeit und Behördenherrlichkeit mit individueller Schäbigkeit und sozialtypischer Verachtung alles Fremden, insofern es machtlos ist.

Markt und Menschlichkeit –

Andererseits: Bei allem Verständnis für die Bitterkeit vieler Gäste in unserem Land, die in uns die Gastgeber nicht entdecken können, die wir sein sollten – ich kann mir nicht vorstellen, daß wir seelisch so gänzlich anders zusammengewachsen sind als die Menschen in den anderen westlichen Industriestaaten, wo vergleichbare Lebensbedingungen vergleichbare Haltungen erzeugen. Nur unsere jüngere geschichtliche Vergangenheit als nationale Geschichte kann da differenzierend Auskunft geben. Daher scheinen mir denn auch diejenigen Texte des vorliegenden Bandes die beste Erhellungsarbeit zu leisten, die an dem beobachteten Detail von Gegenwart Kulturgeschichte sichtbar machen.

Die Deutschen, von denen in diesem Buch die Rede ist, sehen mir manchmal so aus, als wüßten sie selbst nicht allzu genau, wie sie sind, nein: wie sie sein wollen – genauer: als wüßten sie selbst nicht, *wer* sie sind. Woher die Unsicherheit?

Ich lese Hinweise auf die Folgen der Nazi-Vergangenheit. Die Erinnerung an den Rassenmord, der von uns verübt wurde, läßt uns fremden Rassen gegenüber in eine gezwungene (kompensatorische) Beflissenheit verfallen, die offenbar als Hilflosigkeit spürbar wird. (Vgl. den Text ›Im Lande der Weißen‹ von Norbert Ndong.)

Darüber hinaus nehmen Ausländer an uns immer wieder ein allgemeines Bedürfnis der Rechtfertigung wahr. Was gerechtfertigt wird, bleibt dabei gelegentlich unklar; ahnbar ist das latente Gefühl der Schuld für all die Vernichtungen des letzten Krieges – und zugleich für unseren gegenwärtigen exzessiven Reichtum. Und immer wieder die Folgen der Spaltung Deutschlands als Nation, der Spannungen zwischen den beiden deutschen Staaten, ihrer Zugehörigkeit zu verschiedenen Machtblöcken! Und weil es heute nur zwei wirkliche Machtzentren gibt in dieser Welt, verkörpert unser Land in besonderem Maße die spannungsvolle Gespaltenheit des »Weltgefühls«. Wer sind wir also?

Hier scheint mir die wichtigste Einsicht zu liegen, die dieses Buch anbietet:

Die Unsicherheit uns selbst gegenüber, das geringe national-politische, national-psychologische Identitätsbewußtsein, blokkiert auch unsere Fähigkeit, andere bei uns zu beheimaten.

Dazu kommt die umfassende Krise der modernen industriestaatlichen Gesellschaften mit ihren längst bekannten Merkmalen: Zwang zur Mehrproduktion, Güterverschwendung, Energiemangel, Umweltzerstörung. Die Wirkung davon auf den Einzelnen: Sinndefizit, Isolation. Eine winzige Szene aus dem Text über den im Exil bei uns lebenden Tschechen Doležel von John Grossman: Doležel sitzt mit dem Erzähler am Rande einer einer Tanzfläche; der Tanz, meint man, sollte die Möglichkeit bieten, auch einem Ausländer, sich – und sei es nur für Augenblicke – einbezogen, dazugehörig, »da« zu fühlen; aber unmittelbar nachdem das Wort »Eismenschen« gefallen ist, heißt es: »›Und das‹, sagte er, mit dem Daumen auf die Tanzfläche zeigend, ›ist keine Kultur!‹« Wie ist das zu verstehen? Was vermißt der Fremde an diesem Tanz? Offenbar die Integrationsfähigkeit. Was er sieht, was ihm schmerzlich bewußt wird, gerade ihm als Ost-Europäer: Das ist ein Tanz Einzelner! Und als Einzelne können wir dem Exil-Fremden gerade das nicht bieten, was er zum Leben braucht: das Gefühl der Dazugehörigkeit. So endet die Geschichte des Mannes, der in Westdeutschland die »Freiheit« suchte, folgerichtig mit der Zerstörung des Menschen Doležel.

Der Mangel an gefühlter Mitmenschlichkeit ist längst uns selbst Anlaß zu Leid geworden. Mir fällt auf, daß mehrmals (besonders deutlich bei Jusuf Naoum, Nelly Ma und Elisabeth Gonçalves) das Verhältnis der Deutschen zu ihren Hunden zur Sprache kommt. Den Tieren gegenüber wird Fürsorge, Zärtlichkeit, ja so etwas wie Liebe geäußert. Warum ist das der Rede wert? Weil an Tiere verschenkt wird, was den Mitmenschen nicht erreicht? Gerade den bedürftigen Mitmenschen nicht? Bei den beiden Frauen, die das ansprechen, Nelly Ma und Elisabeth Gonçalves, wird das Verhalten gegenüber den Hunden mit dem gegenüber den Kindern in Beziehung gebracht – eine bestürzende Parallele. Das Verständnis den Kindern gegenüber scheint durch die Tierfreundlichkeit der Deutschen in den Schatten gerückt! In dem Gedicht ›Weil . . .‹ von Elisabeth Gonçalves werden die Kinder zu eben der Gefahr für Hunde, die Hunde sonst für kleine Kinder sind:

Schütze meinen Hund vor den Menschen,
Kindern und anderen bösen Tieren ...

Mit-Tierlichkeit als Ersatz für Mit-Menschlichkeit? Menschen-
angst? Mißtrauen? Angst vor den Mißverständnissen, die zwischen Menschen immer möglich sind – und je verschiedener sie
sind ihrer Herkunft nach, desto mehr? Zweifel an der eigenen
Wirkung auf andere?Mangel an nationaler Identität oder Krise
der Überflußgesellschaft?

Wohl von allem etwas.

Noch einmal: Die hier vorgestellten Texte sind keine »Wahrheit«! Die Augen »der anderen« sehen nicht tiefer, sie sehen
nicht mehr, aber sie sehen *anderes* an uns. Wenn wir es wagen,
uns einmal so, in der »Brechung« in diesen fremden Augen, zu
sehen, können wir nur gewinnen: für den Umgang mit den
Fremden in unserem Land – ja, aber auch für den Umgang mit
uns selbst.

Dietrich Krusche

LEVENT AKTOPRAK, aus der Türkei, geb. 1959, kam 1964 in die Bundesrepublik, Student (Sozialwissenschaft, Kunst) und Schriftsteller, lebt in Kamen. Veröffentlichte Gedichte in Anthologien und Zeitschriften (u. a. ›kürbiskern‹, ›Westfalenspiegel‹, ›Der Friede ist eine zarte Blume‹), Mitglied des »Werkkreis Literatur der Arbeitswelt« (Werkstatt Bergkamen), 1. Preisträger beim 2. Bergkamener Literaturwettbewerb 1980.

MAITE ALTUBE-SCHEUFFELEN, aus Argentinien, geb. 1948, von 1969 bis 1974 und seit 1977 in der Bundesrepublik, lebt in München, unterrichtet an der Volkshochschule.

SERGIO LIONEL MONROY AMADO, aus Guatemala, geb. 1950, studiert seit 1978 Architektur in Mainz.

DRAŠKO ANTOV, aus Jugoslawien, geb. 1938, Journalist, seit 1968 in der Bundesrepublik, lebt in Köln. Veröffentlichte zahlreiche Kurzgeschichten in deutschen Zeitschriften und Zeitungen, Initiator der macedonischen Sendungen der Deutschen Welle Köln, Autor von Volksmusiksendungen beim Westdeutschen Rundfunk Köln.

JEAN APATRIDE (d. i. ÁKOS MOHAR), aus Ungarn, geb. 1937, kam 1964 als Emigrant in die Bundesrepublik, lebt als Diplomübersetzer in Heidelberg, veröffentlichte Gedichte, u. a. in ›Lyrik I‹, herausgegeben von K.-O. Conrady, 1979, und in ›Hoffnungsgeschichten‹, herausgegeben von Ingeborg Drewitz, 1979.

BEI-MIN, aus der Volksrepublik China, geb. 1944, Dolmetscher, seit 1980 zu Studienzwecken in München.

FRANCO BIONDI, aus Italien, geb. 1947, kam 1965 als Gastarbeiter in die Bundesrepublik, Elektroschweißer, lebt in Lörzweiler. Veröffentlichte Gedichte und Erzählungen in Anthologien und Zeitschriften, u. a. in der Reihe ›Südwind gastarbeiterdeutsch‹ (CON Bremen), deren Mitherausgeber er ist, und in dem Lesebuch ›Sehnsucht im Koffer‹ (Frankfurt 1981). Die Erzählung ›Die Heimfahrt‹ wurde in dem Band ›Im neuen Land‹

herausgegeben von Franco Biondi, Jusuf Naoum, Rafik Schami, Suleman Taufiq, Bremen 1980, veröffentlicht.

PIERRE BLITHIKIOTIS, aus Griechenland, geb. 1940, Lehrer, seit 1978 zum Zweitstudium (Germanistik) in West-Berlin.

DOMENICO BOSSIO, aus Italien, geb. 1965, seit 1975 als Schüler in Köln.

ACHIROPITA CALIGIURI, aus Italien, geb. 1965, seit 1970 in der Bundesrepublik, Schülerin in Köln.

MARK CHAIN, aus den USA, geb. 1947, seit 1976 in der Bundesrepublik, lebt als Schriftsteller in München. Freier Mitarbeiter des Bayerischen und des Hessischen Rundfunks, Rundfunksendungen mit eigenen Gedichten, Lyrik- und Prosaveröffentlichungen in verschiedenen Literaturzeitschriften in deutscher und in englischer Sprache.

S. D. CHAKRAVARTHY, aus Indien, geb. 1946, war von 1980 bis 1981 zur beruflichen Weiterbildung in der Bundesrepublik, lebt als Deutschlehrer in Bangalore/Indien.

GIANFRANCO CISTERNINO, aus Italien, geb. 1965, seit 1973 als Schüler in Köln.

LUCREZIA CUMBO, aus Italien, geb. 1965, seit 1969 in der Bundesrepublik, Schülerin in Köln.

SINASI DIKMEN, aus der Türkei, geb. 1945, seit 1972 in der Bundesrepublik, lebt in Ulm als Fachkrankenpfleger. Veröffentlichung von Erzählungen in Zeitschriften.

TÜLIN EMIRCAN, aus der Türkei, geb. 1961, in der Bundesrepublik aufgewachsen, lebt in Niederbachem, studiert Geschichte.

MICHELE FRAGNELLI, aus Italien, geb. 1964, in der Bundesrepublik aufgewachsen, Schüler in Köln.

JOSÉ-RAMÓN GARCÍA, aus Spanien, seit 1979 in der Bundesrepublik, studiert Geschichte und Philosophie in Münster.

ELISABETH GONÇALVES, aus Portugal, geb. 1952, seit 1975 zum Studium der Germanistik in München.

JOHN GROSSMAN, aus den USA, geb. 1956, von 1976 bis 1977 und seit 1978 Student (Germanistik und Philosophie) in München und West-Berlin.

MARIA LUÍSA HÖLZL-BRAVO DO CARMO COSTA, aus Portugal, geb. 1956, kam 1975 zum Studium (Germanistik und Romanistik) nach München, wo sie jetzt als Ehefrau und Mutter lebt.

JOS JAQUEMOTH, aus Luxemburg, geb. 1953, seit 1976 in West-Berlin, wo er in Germanistik und Geschichte promoviert. Veröffentlichung von Gedichten und Erzählungen in luxemburgischen Zeitschriften, Preisträger des 1978 vom luxemburgischen Kulturministerium und Amnesty International veranstalteten Wettbewerbs zum Thema »Menschenrechte«.

HATICE KARTAL, aus der Türkei, geb. 1963, seit 1978 in München, Friseurlehrling.

· RICHARD ALAN KORB, aus den USA, geb. 1951, seit 1979 als Doktorand (Germanistik und Theaterwissenschaft) in München.

NELLY MA, aus der Volksrepublik China, geb. 1945, seit 1978 in der Bundesrepublik, studiert Germanistik in München.

BERNADETTE MARTIAL, aus Frankreich, geb. 1955, kam 1978 zum Germanistikstudium nach München, jetzt dort als freiberufliche Übersetzerin tätig. Veröffentlichte ›Impressionen 1981 Riva del Garda Italy‹.

BETH ANN MARTIN, aus den USA, geb. 1957, von 1977 bis 1978 und seit 1979 in der Bundesrepublik, Studentin (Germanistik und Philosophie) in Bonn.

VINCENZO MINUTILLO, aus Italien, geb. 1952, kam 1960 mit den Eltern (Gastarbeiter) in die Bundesrepublik, studiert in München Germanistik, Philosophie und italienische Literatur.

JUSUF NAOUM, aus dem Libanon, geb. 1941, kam 1964 zur Berufsausbildung in die Bundesrepublik, Masseur und Schriftsteller in Frankfurt. Veröffentlichungen: ›Der rote Hahn‹ (Erzählungen, Verlag Der Olivenbaum Berlin 1979), Kindermärchen (beim Bayerischen Rundfunk), Hörspiele (bei RIAS Berlin, Südwestfunk, Hessischer Rundfunk), Einzelbeiträge in Anthologien, Mitherausgeber der Reihe ›Südwind – gastarbeiterdeutsch‹ (CON Bremen), in deren Band ›Im neuen Land‹ das Gedicht ›als Hund‹ bereits veröffentlicht wurde, und des Lesebuchs ›Sehnsucht im Koffer‹ (Frankfurt 1981). Das Gedicht ›Das gelobte Land‹ erschien in dem Band ›Zu Hause in der Fremde‹ (Verlag Atelier im Bauernhaus 1981).

NORBERT NDONG, aus Kamerun, geb. 1953, kam 1977 zum Studium nach Freiburg, schreibt an einer Dissertation über ein volkskundliches Thema.

HÜLYA ÖZKAN, aus der Türkei, geb. 1956, kam 1966 als Schülerin in die Bundesrepublik, studiert Politikwissenschaft in München.

DORA OTT, aus Italien, geb. 1947, kam 1972 in die Bundesrepublik (Heirat), Italienischlehrerin, lebt in Traunstein.

SÜHAN ŞEN, aus der Türkei, geb. 1943, kam 1970 als Gastarbeiter nach West-Berlin, wo er heute als Lehrer tätig ist. Veröffentlichte einen Roman in türkischer Sprache (›Ac özgürler ve tok tutsaklar‹, 1978).

KATHRYN SMITS, aus Neuseeland, geb. 1935, von 1962 bis 1966 zum Studium in Freiburg i. Br., Promotion in Germanistik, seither mehrere Deutschlandaufenthalte, heute Associate Professor of German in Auckland/Neuseeland. Edierte die frühmittelhochdeutsche ›Wiener Genesis‹, erstellte (zusammen mit John A. Asher) ein Reimwörterbuch zum ›Gouten Gerhart‹ des Rudolf von Ems, ist Herausgeberin der Festschrift für John Asher (›Interpretation und Edition deutscher Texte des Mittelalters‹, 1981) und veröffentlichte mehrere wissenschaftliche Aufsätze aus dem Bereich der Mediävistik.

SULEMAN TAUFIQ, aus Syrien, geb. 1953, kam 1971 zum Studium (Philosophie und Komparatistik) in die Bundesrepublik, lebt in Aachen. Veröffentlichte den Gedichtband ›Wir sind fremd, wir gehen fremd‹, Klenkes Verlag, Aachen 1979, sowie Beiträge in Anthologien und ist Autor und Mitherausgeber der Reihe ›Südwind – gastarbeiterdeutsch‹ (CON Bremen), in deren Band ›Im neuen Land‹ das Gedicht ›die frage‹ bereits veröffentlicht wurde, sowie Redakteur der Zeitschrift ›Fremdworte‹ (Aachen).

KIM LAN THAI, aus Vietnam, geb. 1942, kam 1965 zum Studium (Philosophie) in die Bundesrepublik, promovierte zum Dr. phil., derzeit Lehrbeauftragte an der Universität München.

SARA B. VANÉGAS, aus Ecuador, geb. 1950, seit 1978 in der Bundesrepublik, Lektorin für Spanisch in Bielefeld. Veröffentlichungen: ›Poemas‹ (Cuenca/Ecuador 1980), ›90 Poemas‹ (Cuenca 1980) in spanischer Sprache, sowie Gedichte in verschiedenen Zeitschriften, u. a. in ›Akzente‹ 4/1981 (in deutscher Sprache).

YIU WUBIN, aus der Volksrepublik China, Germanist in Shanghai.

SOON-IM YOON, aus Südkorea, geb. 1946, kam 1971 zum Studium nach Würzburg, Diplom-Psychologin.